afgeschreven

Eerder verschenen in de Kidsbibliotheek:
Het Hercynische Woud

Omslagillustratie: Sylvia Weve
© Lydia Rood en *KidsWeek/de Lemniscaatkrant,* 2005
ISBN 90 5637 719 1
Begeleiding en redactie Kidsbibliotheek:
Dorine Louwerens, Heemstede
dorine.louwerens@deboekenmaker.nl

Ontwerp en productiebegeleiding: Lemniscaat, Rotterdam
Druk- en bindwerk: Koninklijke Wöhrmann, Zutphen

Lydia Rood

Kus

KIDSBIBLIOTHEEK

Voor mijn moeder, mijn vader en mijn kind
een klein blijspel

De vader van Hans en Grietje

Er staat een zilvergrijze Porsche bij de ingang van het bos als Marjon erlangs loopt. Ze bukt een beetje om te zien of haar vader erin zit. Dat doet ze altijd. Haar vader heeft altijd Porsches gehad, altijd zilvergrijze, altijd het nieuwste model. Soms aten ze een hele week uiensoep, maar er was altijd een zilvergrijze Porsche.

De auto is leeg. Nee, toch niet: op de passagiersstoel zit een man in een suède jas. Hij stapt uit. Het is haar vader.

'Dag Marjon.'

'Hallo.'

'Heb ik je niet geleerd met twee woorden te spreken?'

'Hallo Toon.'

Haar vader doet iets met zijn ogen en zijn voorhoofd. Hij wordt liever 'papa' genoemd.

'Ik wou je wat vragen,' zegt hij.

Het blijft een tijdje stil. Ze staan elk aan een kant van de auto en kijken elkaar aan.

'Vraag dan.'

Toon wijst naar het bos.

'Ga mee een stukje lopen.'

'Waarom?'

'Ik mis je.'

'Jaja.' Dat kan niet. Van de dertien jaar dat Marjon leeft, heeft ze hem misschien zestienhonderdachtenzestig uur gezien. Dat heeft ze uitgerekend. Drie minuten 's middags na school, één minuut als ze eigenlijk al sliep, en twee uur op zondag. Ongeveer. Soms was Toon op zondag ook op tournee. Maar de schrikkeljaren heeft ze meegerekend.

'Laten we gewoon een stukje lopen, het bos door.'

'Waar naartoe?' vraagt Marjon. Het bos is niet geweldig groot, en aan de andere kant is niks. Bejaardentehuis, begraafplaats, golfbaan. Niks waar je naartoe zou willen.

'Alleen maar lopen.'

'Wat is daar nou aan!'

Marjon bekijkt haar vader. Toon is weinig veranderd. Zijn wangen zijn stoppelig, net zoals de laatste keer dat ze hem zag. Zijn ogen zijn een beetje rood, door slaapgebrek. Nachtogen.

'Wat kijk je? Zie ik er gek uit?'

'Nee. Gewoon. Zoals altijd.'

Toon loopt om de auto heen en blijft voor haar staan. Hij bekijkt haar ook.

'Ik heb je echt gemist.' Hij pakt haar hand. 'Kom. Gewoon een stukje lopen.' Dat heeft hij nu te vaak gevraagd. Ze kan geen nee meer zeggen. Maar als ze op het pad tussen de bomen zijn, trekt ze wel haar hand los. Hij moet niet overdrijven.

'Hoe gaat het met iedereen?'

'Goed. Gewoon.' Ze zeggen vaak 'gewoon', zij en haar vader. Maar eigenlijk is er niets gewoon. Nooit geweest ook. Hoe gewoon kan je leven zijn als je vader zich elke avond op een toneel staat uit te sloven voor vreemde mensen?

'Met mama ook?'

'Ja. Ze zegt dat het weinig verschil maakt.'

Toon zwijgt. Heeft hij het niet begrepen?

'Je was er toch nooit,' zegt Marjon.

'Ze zat toch elke avond in haar eentje op de bank,' zegt Marjon.

'Ze moest toch altijd alleen naar oma en naar feestjes,' zegt Marjon. 'En boodschappen doen.'

'Marjon,' zegt Toon.

'Wat nou,' zegt Marjon. 'Het is toch zo.'

Toon zucht. Marjon zucht ook. Nog iets waar haar vader en zij goed in zijn. Is zuchten erfelijk? Ze kan het niet van hem afgekeken hebben.

De stammen van de bomen zijn zwart uitgeslagen. De grond is bruingrijs. In de zomer zijn de stammen bruin en de grond groen. In de herfst zijn de stammen groen en de grond bruin. Alleen in de winter ziet het er zo uit, als een oude zwartwitfilm. Het soort film waar Toon altijd naar wilde kijken als hij eens een zondag thuis was.

'Ik las je vaak voor uit dat boek met die tekeningen van Bauer, weet je dat nog? Op de plaatjes zagen de bossen er zo uit. En dan kwam vanachter een dikke stam een trol tevoorschijn.' Toon holt weg en duikt achter een boom. Als Marjon langskomt, springt hij erachter vandaan.

'Warg!'

Marjon doet niet alsof ze schrikt – daar is ze nu te oud voor en dat kan hij weten. Ze loopt gewoon door.

'Waarom zeg je "warg"?'

Toon komt weer naast haar lopen.

'Dat zeggen trollen. Denk ik. Waah-aargh!'

'Ik ben geen kleuter meer. En trouwens, ik kan me dat helemaal niet herinneren, van die plaatjes van Borsato of zoiets.'

'Flauw,' zegt Toon.

'Ja,' zegt Marjon. 'Bauer dan. Maar ik kan me er tóch niets van herinneren.'

'Je was nog klein,' zegt Toon, en daarna zeggen ze een tijdje niets.

Marjon heeft vaak gedacht dat ze hem van alles zou vragen, haar vader, als ze hem weer zou zien. Maar al die vragen schieten haar niet te binnen, niet eentje.

'Heb je me niets te vragen?' vraagt Toon.

'Nee,' zegt Marjon.

'Het is anders al een poosje geleden. Een flink poosje. Heb je me gemist?'

'Niet zo erg,' zegt Marjon. 'Het lijkt op een lange tournee.'

'Een erg lange tournee.'

'Ja.'

'Heb je veel gehuild?' vraagt Toon.

'Nee,' zegt Marjon. 'Sorry.'

'Maar jij bent ook niet zo'n huilebalk hè,' zegt Toon.

'Alleen bij zielige films. Als er niemand uit mijn klas bij is.'

'Nee,' zegt Toon, 'jij bent niet zo'n huilebalk.' Hij lijkt het een beetje jammer te vinden.

'Hoe gaat het met mama?'

'Heb je al gevraagd. Goed.'

Toon zucht. Hij pakt haar hand. Zijn hand zit in een bruine leren handschoen. Zacht leer, maar de buitenkant is koud. Marjon wil haar hand terugtrekken, maar ze durft niet goed. Hij zúcht al zo. Hij begint met haar arm te zwengelen. Ze laat hem zwengelen. Hij huppelt een pasje. Marjon loopt een stap harder. Toon huppelt twee passen, drie. Marjon rent een beetje. Toon huppelt opeens heel hard weg. Hij heeft haar hand nog vast. Marjon huppelt maar mee.

Toon huppelt van het pad af, door de grauwgrijze bladeren. In de film warrelen herfstbladeren altijd knisperig op. Deze blijven dood en lam aan de grond plakken. Het zijn natuurlijk ook winterbladeren. Glad en klam.

Toon huppelt een helling af. Marjon glijdt uit en zit opeens in een spagaat op de grond. Het doet pijn, ze heeft al heel lang geen spagaat meer geoefend. Toon valt ook om en rolt de helling af. Hij doet het erom. Hij houdt haar hand stevig vast en Marjon rolt mee. De bladeren stinken verrot en zwaar. Ze kleven in haar haar en aan haar jas. Als Toon opstaat, zijn zijn wangen rood.

'Leuk hè!'

'Ja,' zegt Marjon maar.

'We lijken wel een film.'

'We zijn niet verliefd op elkaar. In een film zouden ze verliefd op elkaar zijn.'

'O jawel. Ik wel op jou. Jij bent mijn mooie lieve kleine meisje. Mijn Marjon.'

'Doe niet zo overdreven,' zegt Marjon.

'Doe ik overdreven?'

'Toneelachtig.'

'O jee,' zegt Toon. 'Shit, dat moeten we niet hebben hè.'

'Ik kan er gewoon niet meer tegen,' zegt Marjon. 'Ik ben er niet meer aan gewend.'

Toon probeert niet te zuchten. Net goed. Marjon doet of ze niet op hem let, ze staat de vieze kledder van haar jas te plukken. Ze leunt tegen een stam, maar die is koud en vochtig. Net als oma's wang. Oma heeft het altijd koud, maar ze zweet ook altijd.

'Wie is Nathan?' vraagt ze opeens. 'Oma praat vaak met een Nathan.'

'Mijn vader,' zegt Toon.

'Jij lult ook maar wat,' zegt Marjon. 'Opa heette toch Joop.'

'Dat is ook weer waar,' zegt Toon. Hij blaast een kushandje naar haar toe. Hij lijkt wel een beetje gekkig geworden.

Opeens grijpt Marjon de dunne boom met beide armen beet en geeft hem een klapzoen.

'Dag oma!' zegt ze baldadig. 'Hoe gaat het met je? Heb je het weer zo koud?'

Toon lacht. 'Ze zweet ervan,' zegt hij. Hij steekt zijn armen uit en doet alsof oma haar handen in die van hem legt.

'Kom make, dans met me,' zegt hij tegen de boom.

'Máke?' gniffelt Marjon.

'Zo noemde ik haar vroeger. Toen ik klein was.' Toon begint te hopsen en het lijkt even of de zwarte dunne stam meehopst. Marjon klapt een dansritme in haar handen.

'Ze is nog best lenig, die make van jou.'

Opeens laat Toon zijn handen zakken.

'Het gaat wel goed met haar hè?'

'Ze herkent niemand meer,' zegt Marjon. 'Maar ze lacht veel meer dan vroeger. Vroeger leek ze altijd zo bang.'

'Ach ja,' zegt Toon.

'Dat wou ik vragen,' zegt Marjon. 'Dat is een van de dingen die ik wou vragen. Waar oma zo bang voor was.'

'Ach ja,' herhaalt Toon.

'Zeg dan,' zegt Marjon.

'Hoe moet ik dat weten?' vraagt Toon. 'Eerst was ik klein en toen was ik in de puberteit en daarna was ik nooit meer thuis. Hoe moet ik nou weten waar ze bang voor was? Als ze ergens bang voor was.' Hij trekt een handschoen uit en begint ermee in zijn andere hand te slaan. 'Er zit een torretje in.' Hij slaat ermee tegen de dunne boom.

'Pas op,' zegt Marjon, 'dat is oma. Neem maar een andere boom.'

Toon houdt op met slaan en schudt de handschoen gewoon uit. Daarna tuurt hij erin. Ten slotte trekt hij hem weer aan.

'Heeft ze eigenlijk wel eens gedanst?'

'Wie?' vraagt Toon afwezig.

'Oma dus. Hallo!'

'Ma? Gedanst? Welnee. Misschien toen ze jong was.'

'Mama is op dansles gegaan,' zegt Marjon.

'Liesbeth?'

'Met iemand van haar werk.'

Toon zegt niets.

'Een man.'

Toon zwijgt. Marjon ook, zo lang mogelijk. Dan zegt ze: 'Met Niels.'

'Die is homo,' zegt Toon.

'Weet ik,' zegt Marjon. 'En mama weet het ook.'

Toon lacht.

'Ja hèhè,' zegt hij. 'En jij? Dans jij nog?'

'Natuurlijk.'

'Maar ik dacht dat je van dansen af zou gaan.'

Marjon schopt in de kleffe bladeren. Ze begint weer omhoog te lopen, naar het pad.

'Jij weet niet veel van andere mensen hè.' Toon komt niet achter haar aan. 'Je weet niet eens of je eigen moeder van dansen hield.' Ze kijkt om. Toon is weg. O. Ook goed. Ze klimt verder. Ze gaat geen verstoppertje met hem spelen als hij dat soms dacht.

'Hé, Marjon!' Hij fluistert, en het is net of hij vlak achter haar is, maar als ze omkijkt, ziet ze hem ver beneden staan, op de bodem van het dal, waar geen bomen meer staan.

'Versta je me?'

Marjon knikt naar beneden.

'Kom eens?'

Marjon daalt weer af. Na een tijdje stuiten haar voeten op iets hards. Treden. Hele brede treden, ze lopen bijna helemaal rondom.

'Het is het theater,' fluistert Toon beneden. 'Weet je nog?'

Marjon zegt niets terug; hij zou haar toch niet verstaan. Hier gaat het geluid omhoog, niet omlaag. Ze neemt twee treden tegelijk, met sprongen.

'Het oude openluchttheater,' zegt Toon, 'we hebben hier nog eens *De toverfluit* gespeeld. Toen was het nog niet zo vervallen.'

In het stenen vloertje dat het toneel is, zitten scheuren. Er groeit mos in. Marjon gaat op de onderste tree zitten. Opeens weet ze het weer. Het openluchttheater. Het was avond en zomer en zij was nog klein.

'Je zat met mama op de eerste rij. Precies waar je nou zit. Weet je nog?'

'Nee,' zegt Marjon. Toon speelde de vogelvanger. Ze springt overeind. Weg vogelvanger.

'Zullen we iets spelen?' vraagt Toon.

Marjon haalt haar schouders op. Als hij dat zo graag wil.

'Een sprookje,' zegt Toon. 'Zeg jij maar welk sprookje.'

'Hans en Grietje,' zegt Marjon. 'Over die vader die zijn kinderen het bos in stuurde.'

'Wat een klotevader hè,' zegt Toon. 'Die heb je er ook tussen, hoor.'

Marjon kijkt hem aan.

'Wat nou,' zegt Toon.

Marjon kijkt naar het mos in een scheur. Zelfs het mos ziet er zwartig uit.

'Oké, Hans en Grietje, maar dan was jij de vader en ik de moeder.'

'En Hans en Grietje?'

'Die lopen broodkruimeltjes te strooien in het bos.'

Toon gaat rechtop staan en haalt een paar keer diep adem. Dan buigt hij een beetje door, hij maakt zijn bovenrug krom en doet zijn hoofd een beetje scheef.

'Vader,' zegt hij, 'ik moet almaar aan de kinderen denken. Het wordt zo donker al...'

Je kunt wel zien dat hij twintig jaar toneel heeft gespeeld, want opeens is hij de moeder van Hans en Grietje.

'Vader,' zei de vrouw die in de ketel boven het vuur roerde klaaglijk, 'ik moet almaar aan de kinderen denken. Het wordt zo donker al... Hadden we ze maar niet weggedaan.'

'Die kinderen redden zich wel,' zei de man. 'Maak je maar geen zorgen, vrouw. Wees liever blij dat we die hongerlappen kwijt zijn.'

De vrouw bleef roeren in de soep van water en brand-netels.

'Kon ik ze maar even een kopje soep gaan brengen. Iets warms in hun maag voordat ze gaan slapen op de koude grond.' Ze schepte soep in een houten kom en bracht die aan haar man. Ze maakte zich verschrikkelijk veel zorgen, dat zei ze met haar gezicht. Met haar handen zei ze 'eet maar lekker' en met haar mond zei ze: 'Jij weet het vast het beste, man.'

'Kan ik het helpen,' zei de man. Hij gooide nog een stuk-je turf op het vuur. 'Er is al niet genoeg voor jou en mij. Ik wou al nooit kinderen. Je hebt er niets aan.'

'Ze zijn warm en lief,' zei de vrouw.

'Lastposten,' zei de man. 'Geef me nog wat soep, vrouw. Hij is waterig vandaag.'

'Het spijt me,' zei de vrouw beschaamd. 'Hans had strik-ken gezet, maar voor hij kon kijken of er een konijn in zat, had jij de kinderen al meegenomen, diep het bos in. En Hans had het laatste brood in zijn zak.'

'Zie je wel,' zei de man. 'Die pikkedief. Eet jij niet?'

De vrouw schudde haar hoofd, sloeg haar omslagdoek dichter om zich heen en porde in het vuur. Het was maar een armzalig vuurtje, veel warmte kwam er niet af.

'Ik hoop maar dat Grietje dat brood niet aan de vogeltjes voert,' zei ze. 'Ze heeft zo'n goed hart. En ze houdt van dansen, weet je dat?'

'Welnee,' zei de man. Hij slurpte. 'Dansen, wat een onzin.'

'Gelukkig heeft ze Hans om op haar te passen. Hans is zo'n slimme jongen. Hij lijkt sprekend op jou.'

'Waarom zeg je dat?' vroeg de man wantrouwend.

'Nou, omdat het zo is. Hans heeft jouw ogen, jouw neus, en jouw voeten. Echt sprekend. En zo moedig, echt een zoon van jou.'

'Ik heb het altijd een achterbaks joch gevonden,' zei de man. Hij gooide zijn kom aan de kant en pakte de soeppot om hem uit te slurpen.

'Bedoel je soms te zeggen dat hij een koekoeksjong is?' vroeg de vrouw met haar handen op haar heupen. Ze rechtte haar rug en ging pal voor haar man staan. 'Waar beschuldig jij mij van, man? Heb je hem daarom zo diep het bos in gebracht?'

'Wat is een koekoeksjong?' vraagt Marjon.

'Denk jij soms dat ik met een andere man heb geslapen voordat ik met jou trouwde?' vroeg de vrouw. Haar ogen flikkerden in het schijnsel van het vuur. 'Dat Kleine Hans de zoon van Grote Hans niet is? Hè?'

De man haalde zijn schouders op en begon zijn laarzen aan te trekken.

'Wat maakt het uit. We zijn van hem af, vrouw. Ga naar bed en maak je niet druk. Ik ga kijken of er nog wat in die strikken van hem zit. Die soep van jou was niet te vreten.'

'Ik weet het niet,' zei de vrouw treurig. Haar rug was weer krom. 'Ik heb hem niet geproefd.'

'Wees blij,' zei de man terwijl hij zijn pelsjas aantrok. 'En nou ben ik weg. Kus.' Hij stampte de hut uit. De vrouw likte bedroefd de laatste druppels uit de pot en dacht aan haar arme kinderen, ver weg in het bos. Een snik welde op uit haar borst.

De grote zeemeermin

'Flauw zeg,' zegt Toon. Hij springt overeind. 'Zo zijn vaders niet. Ik niet tenminste. Stiefvaders, oké, die misschien. Daarom verzon ik dat van dat koekoeksjong.' Hij praat snel, veel sneller dan toen hij de moeder was. Hij hijgt zelfs een beetje. Hij gaat op de onderste tree van de tribune zitten en wrijft zijn slapen. Daarna maakt hij zijn eigen haar door de war. Het is bijna alsof hij zichzelf zit te troosten. 'En waarom zei je dat: "en nou ben ik weg, kus"?'

'Nou,' zegt Marjon, 'dat zeggen vaders als ze weggaan. Jij tenminste wel altijd.'

'Ze zeggen ook: "ik kom je vanavond nog een kusje brengen als je slaapt." Ik tenminste wel.'

'Kusjes als je slaapt tellen niet.'

'O zeker wel!'

'Laten we maar weer verder gaan,' zegt Marjon. 'Terug naar het pad, bedoel ik.' Maar ze verroert zich niet en ze gaat naast Toon op de laagste tree van de tribune zitten. In de kou en met al die koude kleren aan voelt ze zijn warmte niet.

'Kwam jouw vader je een kusje brengen als je al sliep?' vraagt ze.

'Nee.'

'Nooit?'

'Nee.'

'Hoe weet je dat? Als je sliep?'

Toon zucht.

'Zulke dingen weet je.'

'Hoe dan? Ik heb nooit geweten of je het echt deed, die kusjes. Sloeg je nooit eens over?'

Toon zucht.

'Nou?'

'Natuurlijk wel.'

Marjon knikt. Dat had ze wel gedacht.

'En ik heb nooit verschil gemerkt. Nachten met kusjes of zonder kusjes, precies hetzelfde, geen verschil.'

'O zeker wel!' zegt Toon boos. 'En ook tussen vaders die van je houden en kerels die alleen maar zorgen dat je te eten hebt.'

Koekoeksjong, schiet Marjon te binnen, is een woord dat oma laatst ook gebruikte. 'Joop heeft me genomen met koekoeksjong en al.' De laatste zondag dat ze er waren zei ze dat. Marjon durfde niet te vragen wat het betekende. En Liesbeth kneep haar ogen bij elkaar alsof ze een klap kreeg.

'Jij bent het koekoeksjong,' zegt Marjon.

Toon zwijgt. Hij probeert niet wéér te zuchten.

'Nou snap ik het,' zegt Marjon.

'Je snapt niets,' zegt Toon. 'Helemaal niets.'

'Nou zeg!'

'Jij verdient niet eens een vader.'

'Nou, dat komt dan mooi uit,' zegt Marjon. Ze is heel boos. 'Ik heb ook geen vader en er nooit een gehad!'

'Je lult maar wat,' zegt Toon. Hij is te kwaad om naast haar te blijven zitten. Hij stampt over het toneel van gebarsten cement. 'Je hebt geen flauw benul waar je het over hebt. En maar mokken!'

Marjon zwijgt. Haar billen worden heel langzaam koud. Zó langzaam, dat ze het nu pas merkt.

Toon hoopt natuurlijk dat ze hem tegenspreekt. Nou, dan kan hij lang hopen. Met zijn stiefvadergezeur. Oo, wat is hij nou opeens zielig! Nou is hij de zielenpiet! Dus opa Joop was zijn eigen vader niet, nou en? De meeste kinderen hebben een stiefvader. Marjon wou dat ze een stiefvader hád! Liesbeth is een oen, om op dansles te gaan met een homo!

Opeens moet ze lachen.

'Weet je wat wij aan het doen zijn? We doen een wedstrijdje zielig-zijn!'

Toon grijnst, een toneelgrijns.

'Jij bent niet zielig,' zegt Marjon, 'want eh... jij hebt een Porsche.'

'En jij bent niet zielig, want jij kunt dansen.'

'En jij bent niet zielig, want je bent beroemd van radio en tv.'

'En jij bent al helemáál niet zielig, want jij bent de dochter-van.'

Marjon lacht.

'Daar ben ik anders klaar mee!'

'En jij hebt een rolletje gehad in een film.'

'Ja, dankzij jou. Wat iedereen weet. Ze lullen me de oren van de kop over jou. De een heeft met je in de klas gezeten, de ander kwam je altijd tegen in de kroeg. De moeder van Janka uit mijn klas zegt dat ze verkering met je heeft gehad. Geen zoenverkering; neukverkering. Is dat waar?'

'Geen idee,' zegt Toon. Hij wil het niet, maar hij ziet er gevleid uit. 'Misschien.'

'Ik vraag het wel aan mama anders,' zegt Marjon.

'Als je dat maar uit je bolle kop laat,' zegt Toon. 'Kom, laten we nog wat spelen. Uit *De toverfluit*.'

Marjon staat ook op. Haar billen zijn heel koud en heel stijf. Ze wrijft erover. Steenkoude broek is wat ze voelt. Haar billen zijn gevoelloos.

'Niks toverfluit,' zegt ze, 'dan ga je maar staan opscheppen. Waarom wil je altijd spelen? Je kunt toch ook gewoon dingen zéggen?'

'Zoals wat?'

'Nou, zoals "ik mis je" of zo.'

'Ik mis je.'

'Ja hoor. Dat geloof ik dus voor geen meter.'

'Precies,' zegt Toon. 'Als het een verhaal is, is het echter. Dan kun je de dingen júist goed zeggen. Jij wou toch dingen van me weten? Nou dan.'

'Maar ik wil niks weten over die toverfluit van je. Dan nog liever... de kleine zeemeermin.'

'Ik doe de kleine zeemeermin,' zegt Toon natuurlijk meteen. Hij wil altijd de hoofdrol. Als hij een bijrol aangeboden had gekregen, bleef hij dagen achter elkaar in de kroeg zitten, zuipen en roken en handtekeningen uitdelen. Net zolang tot zijn dip voorbij was.

'Niks ervan,' zegt Marjon. 'Jij was de harteloze prins.'

Toon pakt opeens haar handen beet.

'Hoor eens Marjon,' zegt hij. Hij kijkt recht in haar ogen, recht erdoorheen. 'Ik kon er niets aan doen. Toneelspelers kunnen nou eenmaal niet alle avonden thuis zijn.'

'Djiesis!' Dat heeft ze wel vijftig miljoen keer gehoord. 'Je kon toch nee zeggen!'

Toon schudt geërgerd zijn hoofd.

'Geen enkele acteur weigert een hoofdrol.'

'Je kon nee zeggen tegen de bijrollen.'

'Heb ik ook altijd gedaan,' zegt Toon. Trots-achtig.

'Je kon zeggen: "ik heb thuis een héle lieve dochter die ik nooit zie, dus ik sla eens een engagement over."'

'Dan had die héle lieve dochter geen kleren gehad om aan te trekken.'

'Weet je hoeveel kleren je kunt kopen van een Porsche?'

'Het kon echt niet anders, Marjon. Geloof me nou.' En juist omdat hij dat zegt, dat smekerige 'geloof me nou', gelooft ze hem níet.

'Oké, oké, ik geloof je wel,' zegt ze. 'Nou, dus jij bent de harte-... de prins en ik was... Nee, niet de kleine zeemeermin, want die zegt geen stom woord. Ik was een van haar zussen, een grote zeemeermin.'

'Goed, en je zat in de vijver midden in de grote zaal van het paleis, en deed of je een standbeeld was,' zegt Toon. 'Met zo'n waterkruik op je schouder.' Hij doet het voor. Marjon geeft hem zijn zin. Tenslotte wil ze nog een heleboel van hem weten voordat hij er weer tussenuit knijpt.

De kroonprins hing lui in zijn zetel, naast zijn prinses, die wat verveeld keek. Overal in de grote zaal liepen en zaten mensen. Bedienden met schalen, raadsheren smiespelend met andere raadsheren, hofdames smoezend met andere hofdames, knechtjes met waterbekkens vol rozenblaadjes en kannen vol bier.

'Zullen we wat danseresjes bestellen, honnepon?' vroeg de prins. 'Er loopt hier in het paleis een kind rond dat werkelijk heel aardig kan dansen. Kom, hoe heet ze nou?' Hij luisterde naar wat een dienaar in zijn oor fluisterde. 'Ach ja, Marina. Zo heb ik haar zelf nog genoemd; ik heb haar op het strand gevonden. Eigenlijk was ik buiten westen en toen ik bijkwam, was ze er opeens.' Hij knipte met zijn vingers. 'Laat Marina komen, het stomme danseresje!' En tegen zijn echtgenote: 'Nee, ze zal je werkelijk amuseren, honnepon! Ze kijkt je zo treurig aan, werkelijk heel ontroerend.'

De muziek zette in en de prins begon ritmisch in zijn handen te klappen en 'Hei! Hei! Hei!' te roepen. Hij en zijn vrouw keken geboeid naar het dansmeisje, dat maar heel kleine stapjes deed. Maar haar ogen waren zoute poelen en haar lijf kronkelde in alle bochten van de zee.

Plotseling kwam een van de stenen zeemerminnen langs de fontein tot leven. Ze gleed van haar stenen voetstuk, zette haar waterkruik op de rand en glibberde wiebelend met haar staart over de marmeren paleisvloer, tot vóór de prinselijke zetel.

'Wat zullen we *dan nou* hebben!' riep de prins uit. 'Is dit toverij?' Hij keek ongerust naar de beeldenvijver. 'Ik hoop dat dat driekoppig gedrocht in het midden tenminste van steen blijft!'

'Vergeef mij, koninklijke hoogheid,' zei de zeemermin. 'Ik ben gekomen om met mijn zusje te praten. Zij is het meisje dat u Marina noemt.'

'Zusje, zusje,' mopperde de prins. 'Hoe kan dat nou. Zij is een meisje en jij bent een zeemermin van steen. Ze kan helemaal niet praten, ze is namelijk stom. En zij heeft bovendien geen tijd. Ze danst voor de kroonprins en dat blijft ze doen zolang ik daar zin in heb. Is me dat wat moois, als stenen zeemerminnen de pret komen bederven. Hei! Hei! Hei!'

'Mijn zusje heeft haar stem verkocht in ruil voor benen,' zei de grote zeemermin.

'Onzinpraatjes,' mopperde de prins.

'Ze had benen nodig om bij u te kunnen zijn, en om voor u te dansen. Bij elke stap is het of honderd messen in haar voeten snijden.'

'Ze verzinnen toch ook elke keer wat nieuws,' zei de prins tegen zijn honnepon.

'Toch wil zij voor u dansen, omdat ze van u houdt.'

'Van mij houdt?' De prins ging rechtop zitten.

'Ze bemint u boven alles!'

'Dat is wat anders! Dat snijdt hout! Hoor je dat, honnepon?' zei de prins. Hij hief zijn handen boven zijn hoofd, klapte sneller en moedigde het danseresje aan. 'Hei, hei, hei!' Nóg sneller.

'Elke stap,' zei de grote zeemeermin. 'Honderd messen.'

'Heiheiheiheihei!'

'Maar nu ligt mijn vader, die koning is van Onderzee, op sterven in ons paleis. Ik vraag u toestemming om mijn zusje mee te nemen, zodat ze afscheid kan nemen.'

'Kan niet. Heiheiheiheihei! Moet dansen! Nietwaar, honnepon?'

'Mijn vader is ook een koning en hij gaat dood. Ik neem mijn zusje mee.'

'Marina is van mij,' zei de prins, 'en trouwens, ze bemint me. Natuurlijk blijft ze hier, ze zou niet anders willen. Wat moet een meisje in de zee? Ze zou verdrinken. Ze is die vader allang vergeten.'

'Mag ik het haar vragen?' hield de grote zeemeermin aan. 'Dan zal ik zolang voor u dansen. Tot ze terug is.'

'Op die staart zeker,' smaalde de prins. 'Waar blijft de lakei van het bier?'

'Ik zal mijn stem verkopen aan de zeeheks. En ik zal de pijn van duizend messen verdragen bij elke stap op mijn nieuwe benen. Maar laat mijn zusje nog één keer naar haar vader gaan. Gewoon alleen even om dag te zeggen.'

De prins hield even op met klappen. Hij keek de grote zeemeermin vorsend aan.

'En als ze dan verdrinkt? Dan is het wél jouw schuld,

brutale vissenkop. Ik denk niet dat ze je daar dankbaar voor zal zijn. Gegeven het feit dat ze mij bemint boven alles. '

'Dat zou ze ervoor overhebben,' zei de grote zeemeermin. 'En ik beloof dat ik dan altijd voor u blijf dansen, zo sierlijk als ik kan, kijk zo!' En ze glibberde onhandig over de vloer. Onder water zouden haar bewegingen bevallig zijn geweest, maar alleen onderwaterwezens konden dat herkennen. Voor de mensen in de paleiszaal zag ze eruit als een tonijn in doodsnood.

De prins gooide zijn hoofd in zijn nek en morste zijn bier over zijn kleren en lachte zo hard dat de zeemeermin haar hoofd in haar armen verborg en stilletjes bleef liggen.

'Heiheiheiheiheihei!' hitste de prins zijn Marina aan.

'Maar de kleine zeemeermin was verdwenen,' zegt Marjon, die overeind komt. 'Waar ze gedanst had was een nat plasje, van zweet en tranen. Ze was het paleis uit geslopen en de zee in geglipt en was naar de bodem gedoken om haar vader op te zoeken. En toen was ze verdronken. Einde.'

'Aaahh,' zegt Toon, nog steeds een beetje op zijn prinsentoon, 'zielig!'

'Maar dat gaf niet,' zegt Marjon, 'want die stomme zeekoning was toch al stiekem de pijp uitgegaan zonder op haar te wachten.'

'Wat een lul,' zegt Toon. Hij klopt het zitvlak van zijn broek af. 'Onbetrouwbaar volkje, die zeekoningen.'

'Ik bedoelde er iets mee,' zegt Marjon. Ze staat met haar rug naar hem toe. Expres.

'Dat zal wel weer,' zegt Toon. 'En het zal wel weer niks aardigs wezen voor vaders in het algemeen.'

'Denk je ooit wel eens aan dóchters in het algemeen?'

'Waarom zou ik? Ik heb er maar een.'

'Je weet niks van me.'

'Krijgen we dat weer.'

'Bewijs het dan?'

'Ik hoef helemaal niks te bewijzen. Wat zou ik moeten bewijzen? Is houden van niet genoeg?'

Marjon haalt haar schouders op. Toon heeft zich altijd al overal uitgeluld. Wat niet hetzelfde is als gelijk hebben.

'Trouwens, het was een ongeloofwaardig verhaal,' zegt Toon. Marjon hoort hem op zijn zakken kloppen en een sigaret opsteken. 'Zó belangrijk zijn vaders nou ook weer niet.'

'Wat weet jij veel zeg,' zegt Marjon. 'Je zou mijn agenda moeten zien.'

'Ik weet zeker dat ik dat niet wil. Namen van vriendjes met hartjes erbij zeker. En onsmakelijke halfblote popsterren.'

'Een zwarte bladzij,' zegt Marjon. 'Er ging een hele stift aan op.'

Toon zwijgt, inhaleert diep. Marjon draait zich weer naar hem om.

'Negentien oktober' zegt ze, voor het geval hij het nog niet begrijpt.

Toon blaast heel langzaam en aandachtig de rook uit en kijkt de kringetjes na.

'Roken is slecht voor je hart,' zegt Marjon. 'Voor het geval je het nog niet wist.'

'Je moet toch ergens aan dood,' zegt Toon afwezig. 'Héb je eigenlijk een vriendje?'

'Yoeri,' zegt Marjon. 'Maar hij is niet op mij.'

'O ja,' zegt Toon.

'Wat zei ik?'

'Hoe bedoel je?' Toon vergeet zijn rookspiralen en kijkt haar verbaasd aan.

'We hadden het over jongens,' zegt Marjon.

'Jaha... Yoeri,' zegt Toon. 'Je gaat met Yoeri.'

Marjon knikt. Dat dacht ze al.

Maar eigenlijk heeft hij gelijk. Zó belangrijk zijn jongens nou ook weer niet. Ze zou voor Yoeri nooit haar stem hebben opgeofferd.

'Of mijn staart,' zegt ze, per ongeluk hardop.

'Wat?'

'Laat maar,' zegt Marjon. 'Snap jij toch niet.'

Mayday, ja

Toon gaat op de tribune zitten, op de tweede tree. Hij strekt zijn armen uit.

'Ben je te groot voor op schoot?' vraagt hij.

'Natuurlijk gek, allang.' Toon trekt zijn armen weer in en klopt op de betonnen bank.

'Kom dan hier zitten.' Marjon doet het. Toon slaat zijn jasarm om haar schouder en legt zijn handschoenhand op haar andere schouder en knijpt haar zowat de adem af. Marjon maakt zich een beetje los, maar ze blijft wel tegen hem aan zitten. Nu het kan.

'Moet je je niet afmelden op dansles?' vraagt Toon.

'Nee,' zegt Marjon. 'Ze zijn toch al begonnen.'

'Vertel me dan eens wat,' zegt Toon. 'Ik zal luisteren, echt waar.'

'Ik weet niks te vertellen.' Dat is waar. Nu ze hem eindelijk terugziet, weet ze niet meer wat ze moet zeggen. 'Vraag jij maar wat.'

'Vertel over Liesbeth,' zegt Toon. 'Is ze... doet ze gewoon? Of griezelig?'

'Wat bedoel je met griezelig?'

'Zoals vrouwen doen als ze zich in de steek gelaten voelen.'

'Dat weet ik niet hoor,' zegt Marjon. 'Mama doet eigenlijk heel gewoon.'

Toons kaak beweegt in haar haar.

'Liesbeth was mijn buurmeisje,' zegt hij.

'Wéér dat verhaal?'

'Tussen mijn zeventiende en mijn zevenentwintigste probeerde ik het met allerlei meisjes. Ze moesten allemaal op Liesbeth lijken maar geen een deed het. Op een avond viel ze met fiets en al tegen mijn auto aan.'

'De tweedehands Porsche,' zegt Marjon.

'De echte Liesbeth. Zij gleed uit bij het afstappen, ik zat in de auto te roken. In onze oude straat. Ik vóelde dat er een deuk in de auto kwam. Ik stapte uit om kwaad te gaan schreeuwen en toen zag ik dat zij het was.'

'"Hé Liesbeth," zei je.'

'En zij zei: "Hé Toon." En ik weer: "Hé!"'

'"Lang niet gezien. Waar heb je gezeten?"'

'"Overal en nergens. Een meisje gezocht dat op jou leek."'

'"En?"'

'"Nergens gevonden."'

'"Wat wou je met dat meisje?"'

'"Trouwen."'

'"Nou, dan kun je net zo goed met mij trouwen."'

'"Waarom?" vroeg ik stomverbaasd.'

'"Nou, omdat je nou die Porsche hebt..."'

Ze lachen. Ze kennen het verhaal van a tot z uit hun hoofd. Misschien is het wel nooit zo gebeurd; misschien is het alleen maar een verhaal.

'En toen zoende je mama en de volgende dag maakten jullie mij. Op zondag. Op de zolder waar jij woonde, in de Cornelis Trooststraat.'

'Jou maken? We vreeën met elkaar. Jij was maar een bijproduct.'

'Dat dacht ik al!' zegt Marjon.

'Of liever een toegift.'

'De toegift is altijd het mooiste,' zegt Marjon. Ze is nog niet zo lang geleden naar haar eerste popconcert geweest.

Toon gaat dromerig kijken.

'Dat was een fantastische plek, die zolder in de Cornelis Trooststraat. Altijd vrienden over de vloer.'

'En toen je getrouwd was, kreeg je spijt hè.'

'De eerste veertien jaar nog niet.'

Marjon geeft geen antwoord. Ze moet er eerst over nadenken. Ze gaat rechtop zitten.

'Nou heb je nóg niks gevraagd,' zegt ze.

'Jawel,' zegt Toon. 'En ik heb ook naar het antwoord geluisterd.'

Marjon springt op en loopt een heel eind bij hem weg,

haar handen in haar zakken en haar schouders bij haar oren. Boos, zegt die houding. Zij weet ook iets van toneelspelen. Zonder om te kijken zegt ze: 'Ik heb anders niks gezegd.'

'Ja zeker wel,' zegt Toon. 'Dat je van je moeder houdt en dat je je zorgen om haar maakt.'

Marjon draait zich verbaasd om. Heeft ze dat gezegd?

Ze zijn omhoog gelopen en kijken van boven op het oude theater neer. Niet eens zo ver van hun voeten zit een kraai in een dood beest te pikken. Misschien een egel. Marjon kijkt weer naar beneden. Als je het niet weet, zie je niet dat het een theater is.

'Drie brokkelige muurtjes en een vloertje met scheuren,' zegt Marjon.

'Ja.'

'Was het hier ook al toen jij klein was?'

'Ja.'

'Heb je er wel eens een toneelstuk gezien? Of zoiets?'

Toon geeft geen antwoord. Toch denkt Marjon dat hij er als kind wel eens is geweest. Zei oma niet iets over een Griekse prinses? Maar dat kan ook wel ergens anders zijn geweest. In een gewone schouwburg. 'Toen wou Toontje opeens toneelspeler worden.' Dat zei oma.

'Mayday ja,' zegt Toon in de stilte. De kraai vliegt ervan op. Krijsend vliegt hij naar een boomkruin.

'Mayday? Dat betekent toch SOS? Help ons? Ging het over een schip? Een storm? Piraten?'

'Wel over een schip. De Argos.'

'Het schip van Joyce d'r ouders heet Argos.' Toon vraagt niet: Joyce, wie is dat?

Marjon legt haar handen om haar mond, doet een scheepshoorn na en roept naar beneden: 'Mayday, Mayday, Mayday!' Het is of het geluid doodvalt op het speelvlak.

'Mayday, ja,' zegt Toon weer. 'Van Euripides.'

'Ging het ook over een Griekse prinses?' Toon knikt. 'Dan was ik de prinses, oké?' Ze rent weer naar beneden. Sommige banken van de tribune zijn verzakt, ze verstapt zich en valt bijna voorover. Maar ze vangt het op; dat kun je, als je danst.

Toon volgt langzaam, zijn handen in zijn zakken, zijn blik op de boomkruin met de kraai. Een zwartwitplaatje. De kraai krast nog een keer, alsof hij Toon roept. Maar Toon vliegt niet weg.

'Weer de prinses?' vraagt Toon als hij beneden is. 'Jij wil alle prinsessen doen. Nou, mij best, maar dan moet je wel je kinderen vermoorden.'

'Waarom?' vraagt Marjon verbolgen.

'Omdat je meer van je man houdt dan van hen, daarom. En je man dreigt je te verlaten. Dus vermoord je zijn nieuwe liefie en zijn zoontjes.'

'Waren die zoontjes dan van het liefje?'

'Nee. Van Mayday Ja zelf. Een prinses en een heks was ze, en de zonnegod was haar opa. Maar ze gaf alles op voor een kerel.'

'Wat achterlijk,' zegt Marjon.

'Nou,' zegt Toon. 'Zo achterlijk is jouw moeder gelukkig niet. Weet je zeker dat ze alleen maar met Niels danst?'

Marjon lacht. Die stomme Toon is jaloers. Nou nog!

'Hoe moet ik ze vermoorden?' vraagt ze.

'Je moet hun keel doorsnijden.'

'Shit hé.'

'Hou ze vast bij hun haar,' zegt Toon, 'en hun hoofd achterover trekken, dat hun keeltjes strak staan, dan lukt het wel. En je zou ze eerst een slaapdrankje kunnen geven, dat ze niet tegenspartelen.'

'Ik zie Liesbeth al,' zegt Marjon.

'Ik zou voortaan maar je eigen thee zetten,' zegt Toon. 'Je hébt er moeders bij! En je weet nooit wanneer ze door het lint gaan. Maar zo lang er geen kerel over de vloer komt, ben je tamelijk veilig denk ik.'

'Je maakt me bang,' zegt Marjon. 'Ik durf niet meer naar huis.'

'Het gebeurde een paar duizend jaar geleden, hoor.'

'Ik was niet écht bang. Jij gelooft ook alles.'

'Ik geloof helemaal niet alles.'

'Hé pap?'

Toon is meteen stil. Hij kan geen antwoord geven. Zijn ogen worden waterig. Is dat omdat ze 'pap' zei?

Marjon zegt het nog eens, gewoon voor het lekkere gevoel. 'Hé pap?' Ze staan tegenover elkaar op het toneel. Toon kijkt haar waterig aan. 'Wilde je daarom aan het toneel? Toen je Mayday Ja had gezien? Dat zei oma, maar je kunt oma niet helemaal meer geloven tegenwoordig. Ze noemt mij Marja en soms Toontje.'

Toon lijkt niet te luisteren. Hij haalt een paar keer adem, tot zijn borst vol lucht zit, en dan schalt zijn stem opeens door het stille bos: ''t Ware beter, hing 't voortbestaan van 't menselijk geslacht maar niet van vrouwen af. Dan bleef de wereld wel veel en menigvuldig kwaad bespaard.'

'Lekker,' mompelt Marjon. 'Goed dat oma het niet hoort.'

Dan schrikt ze zich dood. Want een gedempte stem die overal en nergens vandaan lijkt te komen, uit de aarde zelf misschien, antwoordt: 'Ge weet uw woorden, Jason, wel te sieren!' Toon en zij kijken tegelijk op. Marjon steekt haar hoofd om de coulissen – niemand. Ze speuren het theater af. Eerst zien ze niets tussen de met mos begroeide stenen treden. Dan beweegt er iets boven aan de tribune. Een man, in een legerjasje en een grijze broek, met een grijze baard en blote handen, zwaait. Hij daalt een paar treden af.

'Lang geleden dat dat hier werd opgevoerd. Medea!' Zoals hij het zegt, klinkt het als één woord. De man gaat zitten, langzaam en zorgvuldig; een oude man is het.

'Antoon Mandersloot – de mooiste Jason die ik ooit heb gezien. Maar dat was niet hier. Lang geleden, in de schouwburg.'

Marjon kijkt Toon aan. Die ziet er verguld uit, zoals altijd wanneer hij herkend wordt.

'En jij moet de dochter zijn.'

'Marjon,' zegt Marjon. Een bewonderaar. Nou ja.

'Ga door. Alsjeblieft?' vraagt de oude man. Hij leunt hoopvol voorover.

Natuurlijk gaat Toon door. Geen publiek is te klein voor hem. Terwijl hij spreekt, maakt hij grote gebaren; hij trekt een zwaard, hij trekt zijn haren uit zijn hoofd, hij ijsbeert en heft zijn handen ten hemel. Je kunt wel zien dat het een héél ouderwets toneelstuk is.

'Toen vond ge in mij uw man, werd moeder, en vermoordt nou onze kinderen – om 't echtelijk bed, uw sponde, en anders niet. U, een leeuwin, geen vrouw; geen Scylla is zo wreed, zo monsterachtig wreed als gij. Ik vloek u, gá, bevlekt met kinderbloed.'

Marjon heeft genoeg van zijn egotrip. Ze wordt Medea. Ze sluipt over het toneel naar de stenen coulissen, haar schouders om haar kin gevouwen, alsof ze bang is voor zijn wraakzucht.

'Blijf!' brult Jason – of is het Toon? 'Zo ken ik je niet, Medea! Verdedig je je niet?'

'Eh...,' zegt Marjon. 'Weet ik veel...'

'Je weet het best,' zei Toon. 'Je klaagde altijd dat ik hele scènes uit Medea repeteerde onder de douche.'

'Omdat je de badkamer zo lang bezet hield. Vooral als ik nodig moest.'

De man op de tribune lacht.

'Vooruit, Medea,' zegt hij. 'Laat zien wat je in huis hebt.'

Een vrouw die haar kinderen vermoordt, kan inderdaad geen bang typje zijn. Dus draait ze zich om en recht haar rug.

'Je geeft wel erg makkelijk de schuld aan je vrouw! Jij moest zelf toch zo nodig vreemdgaan? Maar de vrouwen hebben het altijd gedaan, hè?'

'Nee, de moeders,' roept de man van boven. 'Moeders krijgen altijd de schuld.'

'Mijn kinderen waren onschuldig!' riep Jason, buiten zichzelf van verdriet. 'Ze hadden niets verkeerd gedaan! Hun eigen moeder heeft hen opgeofferd. Een mes langs hun tere halzen gehaald, hun bloed in het rond doen spatten.' Hij wijst naar

de grond. 'Kijk! Mijn schoenen zijn rood van het levens-
bloed van mijn geliefde kroost! Je dacht toch niet dat ik
daardoor méér van je zou houden, kreng? Nee, jij gaat oud
en eenzaam dood. Een heks waar niemand van kan houden.'

'Ze heeft haar hemelwagen, kijk, hij staat al klaar, met
trappelende paarden. Ze zal vertrekken, opstijgen, in de lucht
verdwijnen,' zei een omstander.

'Precies!' riep Medea, die zich groot maakte. 'Nu ik mijn
kinderen kwijt ben, hoef ik jou ook niet meer. Weglopen wou
je, hè? Nou, loop maar weg dan, ga je gang. Ik zit er totaal
niet mee. Dat is geloof ik wat mannen doen: als het een beetje tegenzit, knijpen ze er tussenuit.' Ze bonkte met haar vuis-
ten op de muur van haar huis en snikte. 'Mijn arme kinderen!'

'Je hebt ze zelf om zeep geholpen!' Jason zwaaide zijn
zwaard dreigend in de lucht. 'Je hield niet van ze! Je had
schijt aan ze!'

'Wie had er nou schijt aan zijn kinderen?'

'Uw taalgebruik, Medea, is er niet op vooruitgegaan,'
grinnikte de omstander. 'Ik snap uw woede wel; verdriet doet
rare dingen met een mens. Maar Jason begrijpt dat niet.
Jason heeft zelf geen doden te betreuren. Jason is nooit ver-
raden of in de steek gelaten, wel?'

'O zeker wel!' riep Jason. 'Alsof ik niet weet waarover ik
spreek! Twee maal zeven jaar heb ik over de wereld rondgezworven, zonder ooit thuis te komen.' Hij sloeg zijn mantel
opzij, zonk neer op de grond en verborg zijn gezicht in zijn
handen. Zijn schouders schokten. Medea keek op hem neer,
haar armen over haar borst gekruist, een triomfantelijke
glimlach op haar gezicht.

Jasons stem klonk gesmoord toen hij zei: 'Twee maal
zeven jaar was ik een schooier zonder huis en haard. Zonder
familie. Mijn vader dood, mijn moeder machteloos. O ja,
ook ik weet wat verraad is.'

'Veertien jaar?' vraagt Marjon. En de man bovenin vraagt:
'Wat probeer je te vertellen?'

De roversdochter

Marjon springt overeind.

'U kent mijn vader, hè?' vraagt ze.

'Ik heb zijn handtekening zelfs,' zegt de onbekende. 'Maar ik wil graag het antwoord weten. Vader dood, moeder machteloos – hebben we het soms over de ouders van Antoon Mandersloot?' Hij komt langzaam overeind en begint moeizaam af te dalen. 'Of ben ik nu te onbescheiden?' Hij is halverwege de tribune als hij weer gaat zitten.

'Toon? Welke veertien jaar?' vraagt Marjon.

Toon kijkt haar aan.

'O, het was eigenlijk langer, maar twee maal zeven jaar klinkt mooier. Ik liep op mijn zeventiende van huis weg om aan het toneel te gaan. Nooit meer een stap over de drempel gezet. Ma stond achter in de zaal toen Liesbeth en ik trouwden. Ze legde haar hand even op Liesbeths buik. En daarna veertien jaar niks meer.'

'Je had toch mee gekund als wij naar oma en opa gingen. Mama vroeg elke week of je mee ging.'

Toon schudt zijn hoofd.

'En soms bracht je ons weg en dan bleef je zelf in de Porsche zitten. Zó stom!'

Toon klopt zijn knieën af.

'Ik moest maar weer eens gaan,' zegt hij.

'Geef antwoord,' zegt Marjon. Ze probeert hem strak aan te kijken, maar hij ontwijkt haar. Hij begint naar boven te klimmen.

'Niet doen!' roept Marjon in paniek. 'Niet weer zomaar weggaan! Mag ik deze keer verdomme afscheid nemen, of hoe zit dat?'

Toon blijft doorklimmen. Hij is nu vlak bij de man.

'Een afscheid is niks,' zegt hij. 'Degene die weggaat is eigenlijk al weg en degene die achterblijft is eigenlijk al alleen. Afscheid is een soort leugen.'

'Toon!'

Hij kijkt om.

'Nou ben ik weg, hoor. Kus!' Dan klimt hij weer door. Marjon kan niet geloven dat hij dit doet. Niet weer! Maar Toon klimt gestaag verder. Marjon gaat hem met grote sprongen achterna. Maar ze haalt hem niet in. Toon verdwijnt tussen de bomen en over de top van de heuvel. Ze holt verder. Als ze boven komt, is hij verdwenen. Nee, als ze boven komt, staat hij op haar te wachten. Achter een boom. Waargh!

Ze is boven aan de tribune, maar de helling glooit nog. Toon ziet ze niet. Is hij achter het hoogste punt verdwenen? Is hij echt vertrokken?

Ze luistert scherp. De snelweg in de verte, een vrouw die haar hond roept. De Porsche maakt nogal veel lawaai bij het starten. Zou ze dat hier kunnen horen?

Er klinkt gehijg achter haar. Marjon draait zich gauw om, haar mond al open om haar vader uit te kafferen. Maar het is die ouwe kerel uit het theater. Hij komt recht op haar af.

'Is je vader er niet meer? Ik had hem nog iets willen vragen.'

'Dan bent u de enige niet,' snauwt Marjon. Ze zegt u, want hij is wat zij bestempelt als een meneer. Ondanks zijn legerjasje; dat draagt hij vast alleen in kledderige bossen.

'Je moet het hem maar niet kwalijk nemen,' zegt de meneer. 'Jij denkt dat het zijn eigen schuld is. Maar in werkelijkheid is het jullie lot. Het helpt niets om je daartegen te verzetten.'

Typische ouwelullenpraat. Marjon wil niet onbeleefd zijn. Daarom vraagt ze maar: 'Hoe lang geleden is dat, van die handtekening?'

'O, heel lang. Ik heb hem één keer ontmoet. Na afloop van een voorstelling, in de foyer. Ik heb hem wel altijd gevolgd. Ik heb nooit een betere Hamlet gezien.' Hij haalt een boekje uit zijn binnenzak en bladert erin. 'Hij was zo vriendelijk hier iets in te schrijven.'

Marjon heeft altijd de pest gehad aan handtekeningenjagers. Als ze eens een keer iets leuks deed met haar vader, werden ze altijd gestoord. En meestal door mensen die nooit de moeite hadden genomen naar een voorstelling te komen, die hem alleen maar kenden uit het reclamespotje voor Greenwheels.

Met tegenzin pakt ze het boekje aan. Het papier van de blaadjes is dik en korrelig. Ze herkent Toons handtekening meteen. Er staat een zinnetje boven, in zijn lange, zwierige letters: 'Het leven is te kort om bestendigheid na te jagen.' Ze strijkt met haar duim over de inkt. Dan geeft ze gauw het boekje terug.

'Wat betekent dat?' vraagt ze.

De meneer lacht in zijn baard.

'Ik heb het altijd als kritiek opgevat,' zegt hij. 'Zo'n handtekening, wat is dat nou? Een poging om het moment te rekken. Het zou om de ontmoeting hebben moeten gaan. Maar ik moest die zo nodig vereeuwigen in een boekje.' Hij strijkt zijn glimlach weg. 'Zo heb ik het opgevat. Die Antoon Mandersloot! Eén en al charme, maar intussen.' Hij kijkt haar doordringend aan. Marjon kijkt naar de grond. Voor haar voeten ligt het dode beest waar straks die kraai in zat te pikken. Ja, het is een egel geweest. Ze geeft er een schop tegen. Hij is lichter dan ze verwachtte. Er kruipen verschrikte torretjes uit.

'Waar ging het daarnet over?' vraagt de meneer. 'Niet echt over Medea zeker?'

Marjon wil niet antwoorden, maar ze doet het toch. Over Toon praten is ook een beetje mét Toon praten.

'Over mijn oma, denk ik. Misschien. Papa ging nooit naar haar toe. Hij was heel jong van huis weggelopen, ik weet niet waarom. Opa was zijn echte vader niet, misschien had het daarmee te maken. Wat onzin is. Opa Joop was een schat en sinds hij dood is, wordt oma langzaam kierewiet.' Ze zwijgt. Ze heeft veel te veel gezegd.

De meneer knikt nadenkend.

'Toon is een aansteller,' zegt Marjon. 'En een wegloper.' Ze begint weer boos op hem te worden.

'Een groot acteur. Je mag trots zijn op die papa van jou. Maar dat ben je natuurlijk ook. Heb je veel voorstellingen van hem gezien? Ach ja, je was natuurlijk altijd bij de première.'

'De laatste heb ik gemist,' zegt Marjon. Dat gaat die meneer trouwens niks aan. Ze wil ook eigenlijk liever niet praten. Door het gepraat hoort ze het misschien niet als de Porsche aanslaat. 'Ik ga hem nu achterna,' zegt ze. 'Dank u wel.'

'Ik denk niet dat dat zin heeft,' zegt de meneer. 'Weet je wat je papa ook bedoelde, met die tekst in mijn boekje?' Hij steekt het weer in zijn binnenzak. 'Dat niets voorgoed is.'

'Weg is weg,' zegt Marjon.

'Niemand blijft voor altijd weg. Antoon komt vast wel weer eens opdagen, als je hem helemaal niet verwacht.'

'Hij heet Toon. En ik zoek hem toch.'

'Zoals je wilt,' glimlacht de meneer. Hij loopt bedaard tussen de bomen door naar het pad.

Marjon blijft staan tot ze hem niet meer ziet. De vrouw van de hond hoort ze niet meer. Ze wacht nog even. Dan begint ze te rennen, kriskras tussen de bomen door.

'Toon!' gilt ze. 'Toon!' Tot ze buiten adem is. Dan houdt ze op met rennen, maar niet met roepen. Pas na een hele tijd bedenkt ze dat ze nou de Porsche niet heeft kunnen horen. Is hij vertrokken? Afscheid is een soort leugen, zei hij.

Het wordt mistig. Overal drijven flarden wolk. Daarom merkt Marjon pas dat ze aan de stenen rand van de vijver staat als ze er bijna inkukelt. Ze gaat met gekruiste benen op de rand van de vijver zitten. Ook hier groeit mos in de kieren. De gemeente heeft weinig aan onderhoud gedaan, dat is duidelijk. Maar Marjon vindt het juist fijn. Het bos lijkt er woester door.

Dus hij is er weer vandoor. Zomaar. Rotzak.

Ze kijkt om. De mist lijkt op te trekken uit het grasveld.

De kale bomen rondom zien er spookachtig uit. Als ze er niet te groot voor was en als ze nu met Fenna was, zouden ze vogelheks gaan spelen. De vogelheksen die lachen en joelen tussen de bomen, vooral als het mist en al een beetje donker wordt. Fenna en zij zouden zich verstoppen en tevoorschijn springen en elkaar de stuipen op het lijf jagen, net zo lang tot het echt donker was en tot ze echt bang waren geworden. Als Fenna hier was en als ze jonger waren.

De vogelheksen komen uit het verhaal van de roversdochter. Marjon kijkt om zich heen. Ze kon ook de roversdochter zijn... Er is toch niemand. En ze was weggelopen vanwege haar lomperik van een vader, die altijd deed waar hij zin in had en zich van niemand wat aantrok. Maar ze had hem teruggepakt; nou woonde ze in het bos. En ze danste de roversdochterdans op de open plek.

Marjon is al opgestaan. Ze luistert – in haar hoofd begint de muziek van de film te spelen. Ze loopt op de maat. Precies tussen de vijver en de bosrand blijft ze staan. Even staat ze stil. Helemaal alleen is ze hier.

Diep in het woeste bos, zonder één vriend. Misschien loerden er heksen tussen de stammen, en vrouwen met honden, maar daar was ze niet bang voor. Ze zou hem leren, die lomperik!

Marjon begint te dansen.

Ze danst zoals ze altijd heeft gedaan, zo lang ze zich kan herinneren. Altijd als ze alleen was, altijd als niemand tijd had om met haar te spelen of om zich tegen haar aan te bemoeien. Altijd als ze muziek hoorde in haar hoofd, altijd als ze iemand anders was. Ze stampt in het rond en stompt in de lucht tot ze niet boos meer is. Ze strekt haar armen, haar vingers spelen met de slierten wolk. Ze buigt haar bovenlijf opzij, zwiert rond met haar armen gestrekt langs haar oren. Ze veegt met haar vingertoppen door het gras alsof ze bladeren opraapt, met armen tegelijk. Ze strooit ze uit boven haar hoofd, laat ze neerdwarrelen alsof het sneeuwt.

Ze is te ver van de weg; als de Porsche nu aanslaat, hoort ze het niet.

De roversdochter sprong her en der achter mistflarden aan, maaide ze uiteen, kneep ze fijn tegen haar borst. Ze was natuurlijk nergens bang voor. Ze huppelde langs de hele bosrand, deed af en toe een uitval naar een boom die er met zijn knoesten eng uit probeerde te zien. Ze rende het hele grasveld over, met een sierlijke loopsprong aan het eind. Toen voelde ze opeens hoe alleen ze was, hier in de mist, met de druipende stammen rondom. Ze knielde en verborg haar hoofd. Ze had het gevoel dat ze ergens op wachtte. Wás ze wel alleen? Langzaam kwam ze overeind, alsof ze net gewekt was uit een diepe slaap. Aarzelend kwam ze in beweging, om opnieuw het grasveld te ontdekken. Wie of wat verborg zich tussen de bomen?

Misschien loopt hij haar nog te zoeken.

De roversdochter maakte een radslag en landde precies aan de rand van het donkere meer. Daar, op één plekje, haar voeten aan de grond genageld, danste ze de dans van de slang, van het vuur, van de bergbeek. Haar nek, haar schouders, haar buik, haar bekken golfden in één beweging. De mist werd gelig, dikker, de bomen werden onzichtbaar. Het werd donkerder en donkerder, maar zij was een roversdochter en voor niets en niemand bang.

En haar lomperik van een vader in zijn burcht werd ontzettend ongerust en stuurde zijn mannen om haar te gaan halen. Overal schalde haar naam in het bos, maar ze hield zich verborgen waar de mist het dikst was, bij het Diepe Meer. Giftige dampen stegen eruit op, waar niemand tegen kon, behalve zij, want zij had het tegengif.

Misschien roept hij haar, en hoort ze hem niet door de mist.

En ze hoorde haar naam schallen door het bos en glimlachte. Laat die lomperik van een vader van mij maar ongerust zijn! dacht ze. En ze danste de dans van de onzichtbaarheid, een dans vol draaiingen en zwenkingen en pirouettes, de dans waarmee ze zelfs de mist te slim af was. Ze had geen lomperik van een vader nodig! Ze was al bijna volwassen en zodra ze sterk genoeg was, zou ze een wild paard temmen en een eigen roversbende stichten. En om te oefenen danste ze vast de dans van de hinderlaag en de overval, op haar buik in het gras en met angstaanjagende tevoorschijnsprongen. En ze danste de dans van de buit en het festijn, van het zwijn aan het spit en het bier in het vat, van de fluitende vleermuizen en de stampende voeten en de lachende stemmen. En het roepen in het bos werd zwakker en zwakker, tot ze allemaal terug waren in de burcht op de berg en ze weer alleen was met de bomen en de beesten in hun holen. Het was goed om te weten dat haar lomperik van een vader haar terug wilde hebben en het was goed om niet te gaan.

Maar als ze zou willen... als ze zou willen, dan kon ze teruggaan naar de burcht van haar lomperik van een vader, en dan krulde ze zich op tussen de hele troep rovers en dan viel ze in slaap bij het vuur, en iedereen zou haar knuffelen en blij zijn haar te zien.

Maar ze wou niet.

Misschien geeft hij het op en is hij nu op weg naar de Porsche.

Sinterklaas en Pieterbaas

Takken knappen. Dode bladeren fluisteren. De bomen zuchten. De snelweg zoemt. De mist wordt dichter. Ergens fluit iemand zijn hond.

Zestienhonderdachtenzestig uur. Dat is niet genoeg. Dat zei mama ook steeds, de dagen na negentien oktober. 'Het was niet genoeg! Het is niet genoeg geweest!' Toen huilde Liesbeth nog. Daarna nooit meer.

Marjon haalt diep adem.

'Toon!' schreeuwt ze. 'Ik moet je nog iets vertellen! Over Liesbeth!'

De kraai (of een andere kraai) schreeuwt woedend terug. Verder niks.

'Papa!'

'Je hoeft niet zo te schreeuwen.' Toon staat achter haar.

'Djiesis,' zegt ze.

'Sorry,' zegt Toon. 'Schrok je?'

'Ik dacht dat je weg was.' Opeens huilt ze. Toon doet een paar stappen dichterbij en trekt haar hoofd tegen zijn jas. Die ruikt naar dode bladeren en bosgrond.

'Ik kwam nog even een open doekje halen.'

Hij streelt haar haar en drukt met zijn koude handschoen tegen haar nek. Dat is niet lekker, maar het helpt wel. Marjon haalt haar neus op.

'Zestienhonderdachtenzestig uur,' zegt Marjon. 'Dat heb ik uitgerekend.'

'Zestienhonderdachtenzestig uur wat?' vraagt Toon.

'Dat ik jou gezien heb in mijn leven. Als je vandaag niet meetelt.'

Toon geeft geen antwoord.

'Dat is niet genoeg,' zegt Marjon.

'Miste je me toen?' vraagt Toon. 'Toen ik er nog was? En als ik er dan niet was?'

'Altijd,' zegt Marjon. 'Behalve als ik zelf niet thuis was.'

Daar moet Toon om lachen.

'Wat moest je me vertellen over Liesbeth?' vraagt hij.

Marjon haalt nog eens haar neus op en doet een stap achteruit.

'Eerst beloven dat je er niet weer tussenuit knijpt.'

'Beloofd.' Hij zegt het veel te makkelijk.

'Vertel op,' zegt Toon. 'Wat is er met Liesbeth?'

'Ze doet toch griezelig,' zegt Marjon.

'Hoe, griezelig?'

'Ze doet alsof alles gewoon is. Ze doet vrolijk. Ze gaat op dansles. Ze neemt collega's mee naar huis. Ze houdt me beneden vast als ik mijn huiswerk wil gaan maken. Ze stelt vragen over school en zo, en over leraren, en over mijn cijfers en mijn vrienden. En ze vertelt over haar schoolvrienden van vroeger en haar collega's van nu en de dansles en over Niels z'n ex en over de opgezette voeten van de buurvrouw en alles.'

'Maar?'

'Maar ze praat nooit over jou.'

'Oei,' zegt Toon. 'Ja, dat is griezelig.'

Marjon schudt haar hoofd.

'Je bent echt té arrogant, Toon. Dat andere is óók eng.'

'Dus je denkt dat ze er verdriet van heeft?'

'Je hebt van haar ook geen afscheid genomen.'

'Ze was de deur al uit toen ik vertrok. Naar een ouderavond bij jou op school. We hadden echt knal-len-de ruzie gehad. Ik was nog bijna te laat voor de première. Ik kreeg op mijn flikker van de regisseur.'

'Jij?'

Toon grinnikt.

'Dacht je dat ik daar te beroemd voor was?'

'Waar ging die ruzie over?'

'Ik moet echt gaan, Mon.' Mon, zo heeft hij haar al in geen eeuwen genoemd. Het is een kindernaam, van toen Marjon zelf nog geen 'Marjon' kon zeggen.

'Je bent niks veranderd,' zegt Marjon.

'Nee, natuurlijk niet,' zegt Toon. 'Jij ook niet. Nog altijd even bokkig.'

'Dat heet verdriet!' schreeuwt Marjon.

'Stil,' zegt Toon. 'Anders krijgen we die man nog achter ons aan. Ik heb het even gehad met fans.'

'Erg hè, beroemd zijn!' Haar gezicht kan weer lachen. 'Toon? Die ruzie, ging die over mij?' Ze hoopt van wel.

'Die ruzie ging over prioriteiten,' zegt Toon. 'Waar ruzies altijd over gaan. Liesbeth maakte haar keuze en ik maakte mijn keuze en dat klopte niet met elkaar en dat vond ik best, maar zij niet. Zo zijn vrouwen. Ze willen altijd dat je je aan hún keuzes houdt.'

'En mannen dan?'

'Mannen? Och, wij doen maar wat.' Toon lacht. Marjon vindt het niet grappig.

'Je wou weggaan,' zegt ze. 'Je wou weggaan en mij gewoon hier achterlaten. In dit klotebos waar ik alleen maar kloteherinneringen aan heb.'

'Ik ben er toch nog?'

'Alleen maar omdat je wou weten hoe het met mama is.'

'Je kunt niet in mijn hoofd kijken,' zegt Toon.

'O jawel.'

'Je weet niks van niks,' zegt Toon.

'Jij ook niet. Je weet niet wat ik voor mijn aardrijkskunde had, je weet niet wie mijn beste vriendin is, je weet niet of ik mijn eerste bh al heb gekocht, of ik populair ben, je weet niet of ik al eens wiet heb geprobeerd, je weet niet wat ik wil worden later. Je weet niks.'

'Negen voor aardrijkskunde, Fenna, populairste van de klas, wel een bh maar geen wiet, danseres. Maar je bent bang dat je daar niet goed genoeg voor bent, dus denk je na over lesgeven.'

'Hoe weet je dat?' vraagt Marjon.

'Gokje.' Toon lacht plagerig.

'Vijf voor aardrijkskunde,' zegt Marjon. 'En Fenna is het populairste.'

'Het gaat goed met je, toch, Mon?'

Marjon haalt haar schouders op.

'Dat wou ik alleen maar even weten. Waarom denk je anders dat ik je kom opzoeken?'

'Opzoeken? Ik zag je toevallig.'

'Zie je wel, je weet niks van niks.'

Marjon zwijgt.

'Je komt daar toch langs als je naar dansles gaat. Nog bedankt trouwens, dat je het dansen voor mij laat lopen. Dat betekent wel wat, denk ik.'

Marjon zegt niet wat hij het liefste wil horen. Dat ze wel al haar danslessen zou willen laten lopen om hem weer thuis te hebben. Maar dat is niet zo. Ze kan het dansen niet opgeven. Toon heeft ook nooit iets gelaten om háár.

Hij wacht tot ze het zegt, van de danslessen. Na een tijdje kan Marjon niet meer terugkijken. Ze zou toch wel een paar danslessen willen opgeven. Een half jaar. Of een jaar.

'Weet je dat ik een aanbieding had om met het stuk naar Broadway te gaan?' vraagt Toon. 'Het was al voor vier weken geboekt, maar als het aansloeg, zou het wel een jaar kunnen lopen. Ze wilden mij voor de hoofdrol. Moet je nagaan: Antoon Mandersloot, een ster in New York! The great Entoen Mendersloet!'

'Gefeliciteerd ermee,' zegt Marjon. Het kan nooit langer dan dertig seconden over haar gaan. Voor Toon bestaat alleen Toon.

'Liesbeth kon me wel missen, zei ze. Maar jij niet, zei Liesbeth.'

'En jij?'

'Wat?'

'Kon jij ons zo lang missen dan? Een jáár!'

'Nee.'

'Liesbeth zei van wel. Liesbeth zei dat je al getekend had.'

Toon zwijgt. Hij stopt zijn handen in zijn zakken en loopt een eindje weg. Marjon drentelt achter hem aan. Ze steken een pad over en duiken onder een paar takken door. Weg van de open plek is het behoorlijk donker, maar de mist is hier maar een dunne nevel. Eindelijk zegt hij: 'Klopt. Ik tekende, maar meteen toen ik van het impresariaat naar huis reed begon ik jullie te missen. Liesbeth werd woedend maar ik was toch al van plan me terug te trekken. Persoonlijke redenen, zou ik zeggen. Dat vond ik van anderen altijd maar slap. Persoonlijke redenen waren voor lafbekken. Pantoffelhelden. Slapjanussen en huisvaders. Maar zo was het toch: ik kon om persoonlijke redenen niet naar Amerika.'

'Daar geloofde mama anders niks van.'

Toon draait zich om.

'Geloof maar wat je wilt geloven,' zegt hij. 'Alleen ik weet hoe het zit. Kom, terug naar het theater. En dan dans je me een stukje voor. En ik zit op de tribune en kijk naar je. Oké?'

'Ik dacht dat je weg moest?'

'Dat heeft de tijd. Ik heb jou ook gemist, hoor.'

'Ik heb al gedanst, daarnet. Stond je niet tussen de bomen te kijken?'

'Nee.'

'Nou, dan heb je pech. Helaas pindakaas.'

'Speculaas.'

'Sinterklaas.'

'En Pieterbaas.'

'Komijnekaas.'

'Bellenblaas.'

Het is een grapje van toen ze klein was. Ze konden het eindeloos volhouden.

'Ik ben geen kind meer,' zegt Marjon.

'Nee?' Hij bedoelt of ze ongesteld is geworden. Marjon krijgt een kleur. Gelukkig is het donker.

'Nee.' In de kerstvakantie gebeurde het. Lang na negentien oktober.

'Nog iets wat ik gemist heb,' zegt Toon.

'Eigen schuld.'

'Dikke bult.'

'Katapult – ik zég toch dat ik geen kind meer ben!'

'Sorry,' zegt Toon. 'Zure zult... ik kan het niet laten.'

'Uitgeluld,' zegt Marjon.

'Ja?' vraagt Toon.

'Nee,' zegt Marjon.

'Nou dan,' zegt Toon. Hij pakt haar hand en trekt haar mee. Terug langs de omaboom en de boom van de kraai (maar ze kan niet zien of hij er nog zit) langs de bovenrand van het theater. Daar gaan ze zitten. In de diepte schemert het toneel lichtgrijs op; er beweegt iets donkers van de ene kant naar de andere, een dood blad of een muis. Toon heeft nog steeds Marjons hand vast.

'Ik ben zeker de beroerdste vader van de wereld hè?' vraagt Toon.

'Nu niet meer,' zegt Marjon. Daar moet hij om lachen. Marjon grinnikt maar mee. Dan zegt ze: 'Nee hoor. Valt best mee. Je had ook een seriemoordenaar kunnen zijn.'

'Maar even serieus,' zegt Toon.

'Serieus,' zegt Marjon. 'Ik heb er heus niks aan overgehouden. Ik hoef niet in therapie of zo.'

'Maar?'

'Maar niks.'

'Ik voel een "maar" hangen.'

'Neehee,' zegt Marjon. 'En trouwens, jij geeft toch oma de schuld. Ik snap niet waarom je dat doet. Ze is hartstikke lief.'

'Is ze ook,' zegt Toon. 'Lief wel.'

'Nou dan,' zegt Marjon boos.

Toon staat weer op, trekt Marjon overeind en begint weer te lopen, kriskras tussen de bomen door. Marjons broek blijft aan een braamstruik haken en scheurt. Het kan Toon niks schelen, hij loopt gewoon door.

'Toen ik twaalf was,' begint hij, 'wilde ma een weekendje naar zee. We gingen nooit op vakantie, hadden we geen geld voor, maar een weekendje konden we wel betalen. Ma boekte een hotel, twee kamers. Een voor hun tweeën en een voor de kinderen. Dat wil zeggen, Katrien en Marja. Want ik ging niet mee.'

'Moest jij op opa's duiven passen? Maar duiven kunnen toch wel voor zichzelf zorgen.'

'Nee, dat kunnen duiven nou juist niet. Pa was dol op zijn duiven. Hij wilde eerst niet eens mee.'

'Nou, dan kon híj toch thuisblijven.'

'Dat zei ik ook.'

'En toen?'

'Toen moest ik naar mijn kamer. Je kon in die tijd nog niet alles tegen je ouders zeggen. Voor je het wist, kreeg je straf.'

'En hoe liep het toen af?'

'Gewoon. Pa en ma en Katrien en Marja gingen drie dagen naar zee en ik paste op de duiven.'

'O.'

'Ik nodigde mijn beste vriend uit om te blijven slapen en we hebben een hele nacht spookhuis gespeeld met de buurmeisjes.'

'Lachen.'

'Ja.'

Marjon zwijgt. Wat raar, op vakantie gaan en één kind thuis laten.

'Het was maar drie dagen,' zegt Toon.

'Maar toch,' zegt Marjon. 'Dat oma dat goed vond.'

'Ze vond alles goed wat pa besliste. Dat hoorde toen ook nog.'

'Blij dat ik nu leef,' zegt Marjon.

'Het enige was...' zegt Toon. Hij blijft staan bij een houten klimrek. 'Dit was er vroeger niet.'

'Het staat er al eeuwen,' zegt Marjon. 'Wat dan? Wat was dan het enige?'

Even verderop is een evenwichtsbalk, gemaakt van een boomstam. Toon gaat er op zitten en bungelt met zijn benen..

'Vlak daarvoor had ik te horen gekregen dat Joop mijn echte vader niet was. Dat mijn echte vader dood was.'

'Shit.'

'Dus ik dacht dat ik daarom niet mee mocht.'

Marjon gaat naast hem zitten en pakt zijn hand. Ze houdt

hem stevig vast. Zo stevig als je iemand kan vasthouden zonder hem pijn te doen.

Ze luisteren een tijdje naar de snelweg en naar hun eigen ademhaling. Dan schiet Marjon iets te binnen.

'Oma zegt... Oma zegt dat je het juist fijn vond om alleen thuis te zijn. Dat je bokkig werd van opa's gecommandeer.'

'Dat zegt ze nú,' zegt Toon.

'Dat een jongen zelf moet uitzoeken wat hij wil. Dat het soms moord en doodslag wordt tussen vaders en zonen.'

'Klinkt mooi,' zegt Toon.

'Misschien meende ze het.'

'Misschien.'

'Je had het haar moeten vragen. In plaats van weg te lopen en nooit meer thuis te komen. En weg te blijven bij opa's begrafenis. Aso.'

Toon zegt niks terug. Hij zucht.

'Daar had je gewoon moeten zijn Toon,' zegt Marjon. 'Had je meteen mij kunnen troosten. Kan zijn dat opa Joop jouw vader niet was. Maar hij was wél mijn opa.'

'Je lijkt Liesbeth wel,' zegt Toon. 'Die heeft ook altijd gelijk. Gatverdamme.' Hij zet zijn handen op de evenwichtsbalk en springt met één sprong op de stam. Hij rent eroverheen, draait zich om en rent naar de andere kant. Als hij zo doet, lijkt hij nog niet eens zo oud. Aan het eind springt hij naar het klimrek, zwaait zijn benen over een balk en klimt naar de nok. Hij gaat schrijlings op de bovenste dwarsbalk zitten en zit daar even met zijn benen te zwaaien. Dan slingert hij zijn benen omhoog en drukt zich in handstand. Niet elke acteur kan dat. Je moet er waanzinnig goede buikspieren voor hebben.

'Moet je weer opscheppen,' zegt Marjon. 'Er is hier niemand hoor.' Maar ze weet het wel: geen publiek is te klein voor Toon. Of te min. Toen ze klein was, speelde hij elk jaar Zwarte Piet bij haar op school. Zodat Marjon na haar vierde niet meer in Sinterklaas had kunnen geloven. Want als die ene Piet bij haar thuis woonde, zouden ze die andere Pieten vast niet helemaal uit Spanje halen.

Toon zit weer.

'Zestienhonderdzesenzeventig uur,' zegt ze opeens. Want ze was de Zwarte Piet-uren vergeten mee te tellen.

Goudhaartje en de egel

'Ik liep hier een keer,' zegt Marjon, 'om bramen te zoeken.' Ze gaat op de evenwichtsbalk zitten, die glibberig aanvoelt, en wrijft met spuug over een schram op haar pols. Toon kijkt van boven op haar neer. 'Liesbeth had gezegd dat ze bramenjam zou maken als ik er genoeg vond. Ik had een emmertje meegenomen, weet je wel, dat blauwe plastic emmertje?'

'Nee,' zegt Toon, 'maar ga door.'

'De bramen aan de buitenkant van het bosje waren al allemaal geplukt. Dus ik ging steeds dieper die struiken in. Ik had een trainingspak aan en daar kwamen allemaal kleine scheurtjes in.'

'Ja?' vraagt Toon. Hij wordt ongeduldig. Dat trainingspak van honderd jaar geleden interesseert hem niet.

'Ik lette alleen op bramen. Weet je wel? Als je iets blauws zoekt, zie je alleen de blauwe dingen, en als je iets zwarts zoekt, alleen de zwarte? Nou, dus ik zag alleen het zwart van rijpe bramen. En toen hoorde ik opeens gehijg.'

'Shit hé.'

'Ja. Het was een man en hij had zijn gulp open en zijn piemel in zijn hand. Hij deed hem een beetje omhoog, net alsof...'

'Net alsof?'

'Hij hem aan mij wilde geven of zoiets.' Marjon krijgt nog een kleur als ze eraan denkt. 'Hij was helemaal paars. Die piemel. Ik draaide me om om weg te rennen maar de struiken hielden me tegen. Ik kon niet meer zien waar ik erdoorheen gekomen was. Ik roeide door de takken heen, zo hard als ik kon. Ik dacht dat de man achter me aankwam, ik rende helemaal tot thuis.'

'Hoe oud was je toen?'

'Acht, of negen.'

'Daar heb je niks van verteld.'

'Aan wie dan? Mama was naar oma, dat was toen oma gevallen was, toen ze haar heup had gebroken weet je nog?'

'Acht,' zegt Toon. 'Toen was je acht.'

'Mama kwam pas 's avonds thuis, we aten afhaalchinees. En toen mopperde ze alleen maar over mijn trainingspak.'

'Je had het toch aan mij kunnen vertellen,' zegt Toon.

Daar gaat Marjon niet eens op in.

'Of de dag erna. Je had het moeten vertellen. Aan mama of aan mij.'

Marjon knikt, half en half.

'Waarom deed je dat dan niet?'

'Ik durfde niet meer,' zegt Marjon. 'Toen ik klaar was met huilen wist ik niet meer hoe ik het moest zeggen.'

'Liesbeth had het moeten merken,' zegt Toon.

'O ja?' gilt Marjon opeens. 'O ja? Altijd hebben anderen het gedaan hè? Mama kón het helemaal niet merken want ze zat elke middag in het ziekenhuis! Bij jóuw moeder! Toevallig!' Dan moet ze ademhalen.

'Maar ze zag toch zeker wel dat je gehuild had.'

De boosheid is uit haar longen gelopen.

'Ze dacht dat het om mijn trainingspak was. Het was een nieuw trainingspak. Ik wou het wel steeds zeggen, maar ik wist niet hoe ik moest beginnen.'

Dan zegt Toon iets geks. Hij vraagt: 'En de bramen?'

Daar had Marjon nog het ergste om moeten huilen.

'Die had ik laten vallen. Met emmertje en al.'

Toon is al bezig naar beneden te klimmen.

'Kom op,' zegt hij. 'We gaan het zoeken. Het was vast je lievelingsemmertje. Waar staan die struiken?'

Marjon wijst.

'Hier ergens.' Toon pakt opnieuw haar hand. Hij loopt met grote stappen, verbeten, woest. 'Die man zit er echt niet meer hoor,' grinnikt Marjon. 'Voor het geval je hem in elkaar wil slaan.'

De braamstruiken staan er kaal bij, vaag verlicht door een lantaren verderop. Je kunt goed zien hoe de takken zich door elkaar slingeren. En hoe gemeen de dorens zijn.

'Waar was het precies?' Marjon probeert het zich te herinneren. Ze loopt een stukje terug en daarna langs de route die ze toen – denkt ze – heeft genomen. Toon baant zich een weg door de takken. Marjon hoort de dorens langs zijn kleren raspen als hij zich verder en verder het bosje in wringt. Ze denkt aan haar zakmes, dat ze altijd bij zich heeft.

'Waar blijf je nou?'

'Laat nou maar,' zegt Marjon. 'Het ligt er toch allang niet meer.' Toon geeft geen antwoord. Marjon krijgt het koud. Haar kleren voelen klam en er vallen telkens druppels in haar nek. Mist maakt ook druppels.

'Kom op!' roept Toon. 'Kom kijken!'

Marjon wil niet nog meer scheuren in haar broek. Niet om de kou; ze heeft haar dansbroek eronder aan. Maar ze krijgt niet meer zoveel kleren tegenwoordig.

'Kom nou, Mon!'

Daar kan ze niet tegenop. Ze worstelt zich door de struiken; ze denkt weer aan haar zakmes. Het zit in het voorvak van haar rugtas, ze kan er nu niet bij. Als ze eindelijk op het open plekje in het midden komt, heeft Toon niet het emmertje in zijn handen, zoals ze heeft verwacht. Hij staat doodstil, zijn vinger op zijn lippen. Hij kijkt naar de grond.

Een egel. Een levende. Moet die geen winterslaap doen? Misschien is het te warm. De hele natuur is in de war, zegt Liesbeth. De egel ziet er wel slaperig uit.

Toon bukt zich om de egel op te pakken. Zodra hij wordt aangeraakt, rolt hij zich razendsnel op.

'Nu kun je hem juist goed pakken,' zegt Toon. 'Heel voorzichtig, met holle handen, dan heb je geen last van die stekels. Net als een fakir. Probeer het maar.'

Marjon bukt zich. Ze pakt de egel beet en tilt hem een stukje op. Het doet geen pijn. Maar ze kan voelen dat hij bang is. Zijn hartslag trilt door in de stekels. Heel snel; straks krijgt hij nog een hartaanval. Ze legt hem weer voorzichtig op de grond.

'Ik vind hem leuker als hij niet bang is.'

Dan ziet ze het, onder de struiken. Niet de kleur, er zijn

geen kleuren. Maar de vorm. Een halfrond heuveltje, met een halfronde opening. En een halfronde drempel: het hengsel. Marjon trekt het een stukje omhoog uit de aarde. Het hengsel lijkt kleiner geworden, maar het is wél haar emmertje.

'Mijn emmertje.'

'Zie je nou,' zegt Toon. 'Neem het mee naar huis en laat het aan Liesbeth zien. Dan kun je haar meteen vertellen van die man destijds. Dat lucht op, zul je zien.'

Marjon wil het emmertje uitgraven. Dan bedenkt ze zich.

'Ik denk dat de egel het als hol gebruikt,' zegt ze. 'Om zijn winterslaap te doen. Ik laat het liever hier.'

Toon hurkt neer.

'Wij kunnen ook best een winterslaap doen,' zegt hij. 'Best een gezellig holletje hier. Dan was ik Papa Beer en jij was Goudhaartje. En de egel was de egel, die heeft alles gezien.'

Goudhaartje werd wakker in het huis van de drie beren.

'Lekker geslapen?' vroeg Papa Beer. 'Lekker gegeten? Lekker in onze stoelen gezeten? Je hebt er nogal een bende van gemaakt.'

'Het spijt me,' zei Goudhaartje.

'Je hebt hier niks te maken. Kijk nou, allemaal vieze dode bladeren in het bed van Baby Beer. En modder, van je schoenen. Wat doe je hier?'

'Ik kwam even schuilen,' zei Goudhaartje. 'Er was een Enge Viezerik in het bos.'

'Was naar je eigen huis gegaan,' zei Papa Beer brommerig. 'Nou zitten wij ermee. Straks komt die Enge Viezerik nog hier naartoe. Zo kunnen we niet aan onze winterslaap beginnen. Ik zal mijn geweer moeten pakken en op wacht blijven zitten. De hele winter koude koffie drinken! Wat een toestand. Je wordt bedankt.'

'Het spijt me,' zei Goudhaartje. 'Ik ga wel weer.'

'Je hebt toch zeker zelf wel een dak boven je hoofd,' zei Papa Beer. 'Je hebt toch zeker zelf wel een stoeltje, en een tafel, en een bedje.'

'Eigenlijk wel,' zei Goudhaartje.

'Je hebt toch zeker zelf wel een Mama Mens die pap voor je kan koken.'

'Eigenlijk wel,' zei Goudhaartje.

'En je hebt toch zeker zelf wel een Papa Mens die op wacht kan gaan zitten met zijn geweer.'

'Eigenlijk niet,' zei Goudhaartje. 'Beroemd zijn, dat is het enige waar hij zich ooit druk om heeft gemaakt.'

'Beroemdheid is geen excuus, vind ik,' zei Papa Beer. 'Ik ben op mijn manier ook beroemd. Maar mijn gezin komt op de eerste plaats. Mama Beer en Baby Beer vóór alles.'

'Zo is Papa Mens niet.'

'Weet je dat zeker? Heb je het hem wel eens gevraagd?'

'Dat eigenlijk niet,' zei Goudhaartje.

'Heb je geprobeerd hem te vertellen van de Enge Viezerik?'

'Nee, dat niet.'

'Dan zou ik maar eens gauw naar huis gaan,' zei Papa Beer. 'Vertel die Papa Mens van je over de Enge Viezerik. En stuur hem dan hier naartoe met zijn geweer. Laat-ie een goede fles whisky meenemen, daar ben ik wel aan toe.'

Goudhaartje stak haar duim in haar mond en schudde haar hoofd. Ze verlangde naar Mama Beer, en naar haar sterke zachte berenarmen. En dat ze dan alles zou vertellen en een beetje zou mogen huilen. Plaats genoeg op die grote berenschoot.

'Papa Beer?' vroeg Goudhaartje opeens. 'Waarom is er maar één Baby Beer? Waarom heeft Baby Beer geen broertjes en zusjes?'

Papa Beer wendde zich af en ging door het raam staan kijken.

'De winter is laat dit jaar,' zei hij.

'Hij is behoorlijk verwend, die Baby Beer van u. Met dat stoeltje en dat bedje en dat papkommetje op maat. Maar ik weet zeker dat hij liever een broertje of een zusje heeft.'

'Je lijkt Mama Beer wel,' zei Papa Beer. 'Nou, ga je nog?

Of moet ik je het huis uit schóppen met die brutale mond van je?'

'Ik wou het gewoon graag weten,' hield Goudhaartje koppig aan.

'Dat zijn geen kinderzaken,' zei Papa Beer.

'Juist wel,' zei Goudhaartje.

'Kijk, daar komt Egel aan,' zei Papa Beer. 'Zou hij nog aan de Grote Dut moeten beginnen? Of heeft hij hem al uit? Je weet het niet meer tegenwoordig. De hele natuur is in de war.'

'Dat zegt Mama Mens ook altijd,' zei Goudhaartje. 'Maar waarom heeft u nou maar één Baby Beer? Is uw natuur in de war?' Ze grinnikte uitdagend.

'Benieuwd of Egel nog nieuws heeft. Ik moest hem maar eens naar die Enge Viezerik vragen. Egel is meestal goed op de hoogte. Maar daar kun jij niet bij zijn, want dat zijn geen kinderzaken.'

'Juist wel,' zei Goudhaartje.

'Eén... twéé... Ik tel tot drie.'

'Dat dacht ik al,' zei Goudhaartje.

'Twee-en-een hallef...' Papa Beer pakte zijn geweer van de muur en legde aan.

'Drie!' riep Goudhaartje. Ze maakte dat ze het berenhuis uit kwam. Ze wist wanneer ze niet welkom was.

Marjon inspecteert haar broek. Ze ziet zo gauw geen nieuwe scheuren. Met veel gekraak komt Toon uit het braambosje zetten.

'Ik ben verkleumd,' zegt Marjon.

'Ik ook. Tot op het bot.'

'Kunnen we niet even in de Porsche gaan zitten?'

Toon schudt zijn hoofd.

'Nooit midden in een goed gesprek naar een andere kroeg. Dan valt het dood.'

Marjon weet even niets te zeggen. Ze voelt dat ze weer boos wordt, maar ze wil niet boos zijn. Ze wil Toon juist een herkansing geven. Daarom vraagt ze: 'Nou?'

'Wat: nou?'

'Waarom heeft Baby Mens geen broertjes en zusjes?' Dat is een van de dingen die ze hem al zo lang wil vragen.

Toon slentert weg; de nevels slurpen hem op. Marjon gaat er gauw achteraan.

'Ik heb het gevoel dat je hier over door gaat zeiken.'

'Dat gevoel heb ik ook.'

'Je kunt het toch ook aan Liesbeth vragen.'

'Ik ben bang dat ze dan weer gaat huilen.'

'Welnee.'

'Ik vraag het aan jóu.'

'Broertjes en zusjes worden zwaar overschat hoor. Je hebt er meer last dan gemak van. Zou ma zeggen. Maar die zei het over kinderen.'

Ze komen op het pad. Een druppel petst hard op een blad dat de laatste storm vergeten heeft.

'Heb ik je wel eens verteld over mijn eerste toneelstuk?' vraagt Toon. Marjon zucht.

'Macbeth. Op school.'

'Precies, en...'

'Oma was naar de dansuitvoering van tante Marja. En opa kon niet omdat hij Katrien naar een schoolkamp moest brengen. En jij had de pest in omdat ze niet naar jou kwamen kijken. Zucht. Had je eigenlijk de hoofdrol?'

'Macbeth? Eh... nee. Ik was de tweede heks.'

'De tweede heks?' Marjon wil niet lachen, maar ze moet. De beroemde Antoon Mandersloot speelde in zijn jeugd een heks. Twééde heks!

'By the pricking of my thumbs, something wicked this way comes: open, locks, whoever knocks. Ik weet het nog steeds. Men was erg te spreken over mijn uitspraak.'

'Meer tekst had je niet?'

'Jawel, jawel.'

'Maar niet véél meer.'

'Eh, nee.'

'En daar had oma naar moeten komen kijken.'

'Eh, ja.'

'En omdat ze niet kwam, haatte je haar zó dat je haar nooit meer wilde zien.'

'Het was mijn eerste optreden.'

'Ja hoor. Als tweede heks. Soms ben je echt té zielig.'

'Tweede heks of derde heks of voor mijn part achttiende heks – ze had daar gewoon moeten zijn. Ze wist hoe opgefokt ik was.'

'En tante Marja?'

'Wat is er met haar?'

'Was zíj zenuwachtig voor haar dansvoorstelling?'

'Weet ik veel.'

'Misschien wist oma dat wél.'

Toon zwijgt bokkig. Vreemd, welke dingen er allemaal erfelijk kunnen zijn.

'Toon.'

'Wat.'

'Hoe lang geleden is dat wel niet! Dertig jaar?'

'Vierentwintig. Maar je weet niet alles.'

'Wat dan nog meer?'

'Niks.'

'Doe niet zo flauw.'

'Voor het doek opging heb ik nog door een gaatje in het gordijn de zaal in staan turen. Ik kon gewoon niet geloven dat ze echt niet gekomen was. En toen ik op moest, in de coulissen, loerde ik weer eerst naar het publiek. Ze had best te laat kunnen zijn.'

Marjon lacht, ze kan er niets aan doen.

'Ja, achteraf zal het allemaal wel om te lachen zijn. Als jij zelf dat kind niet was.'

'Sorry hoor.' Marjon struikelt over een knoestige boomwortel. Toon houdt haar overeind. Hij blijft haar arm vasthouden. Het voelt alsof zij hém overeind moet houden. Ze zegt: 'Maar oma is vast later wel eens komen kijken. Toen je eenmaal beroemd was. Stiekem ergens achter in de zaal, zonder dat je het wist.'

'Denk je?' vraagt Toon.

'Ja hoor,' zegt Marjon. 'Dat kon ze vast niet laten.'

Maar ze is er niet zo zeker van. Oma kan iets koppigs hebben – net als zij zelf.

'Verrek hé,' zegt Toon blij. 'Daar heb ik nooit bij stilgestaan.' Hij laat haar arm los.

'Maar waarom heb ik nou geen broertje of zusje?'

'Nou, daarom dus,' zegt Toon verbaasd. 'Dat is toch wel duidelijk.'

'O ja?'

'Dat wilde ik jou besparen. Dat je in de coulissen tegen beter weten in zou staan hopen dat je ouders er waren, en dat ze er dan niet waren. Ik wilde niet dat jij ooit zou denken dat je niet belangrijk was.'

Nu heeft Marjon echt medelijden met hem.

Odjiesis

Deze keer is het Marjon die in het houten klimrek klimt. De palen zijn glibberig op een groene manier. Ze gaat schrijlings op de nokbalk zitten en roept: 'Ahoy! Land in zicht!'

'Waar zit je?' roept Toon. Zijn stem wordt gedempt door de mist. Marjon laat de scheepshoorn loeien. Het klinkt dof onder de deken van waterdruppeltjes, dof en treurig. Als een koe die alleen in de wei is achtergelaten. Ze toetert opnieuw.

'Schei uit zeg,' zegt Toon, opeens vlak onder haar. 'Je laat de doden uit hun graf opstaan met dat gebrul.'

'Is ook de bedoeling,' zegt Marjon. 'Het is spookavond vanavond. Bonte spookavond. Alle doden dansen en ik doe de muziek.'

Toon komt achter haar zitten en slaat zijn armen om haar heen. Dan hijst hij haar overeind. Hij pakt haar handen en spreidt ze wijd boven haar hoofd.

'I'm the king of the world!'

'Zonder uitzicht is het niks,' zegt Marjon, 'en zonder wind.' Maar dat is stoer gedoe. Toon achter haar en haar voeten in de wolken: ze voelt zich geweldig. Zo speelden ze vroeger ook soms, alsof ze allebei kinderen waren. Ze doet van louter kneukeligheid de misthoorn nog maar eens. Toon schrikt, zijn voet glijdt weg, hij grijpt zich aan haar vast. Marjon staat stevig genoeg.

'Idioot!' zegt Toon.

'Oké,' zegt Marjon. 'We spelen schip.' Ze voelt zich overmoedig. 'Ik ben de kapitein.'

'Niks ervan. Ik ben de schipper en jij de maat. Jij zwabbert het dek.'

'In je dromen,' zegt Marjon. 'Ik ben de stuurman, ik blijf wel aan het roer. Niet schrikken als ik schreeuw; dan komt er een spookschip aan.'

'Let liever op of je Scylla en Charybdis ziet,' zegt Toon. 'Het zeskoppige monster op de klip en de schepenvretende draaikolk aan de andere kant. Je moet er precies tussendoor varen, stuurman, anders zijn we de klos.'

'Aay, aay, schipper.'

'Noem me Odysseus.'

'O djiesis.'

'Nee, Oysseus. Ik heb je nog een boek over hem gegeven, weet je dat niet meer? De man die in oorlogen vocht, die reuzen en heksen weerstond en tien jaar lang wanhopig probeerde terug te keren naar zijn vrouw.'

'Dus niet zoals jij,' zegt Marjon.

'Wat zei je, stuurman?'

'Niks, schipper. Odjiesis bedoel ik.'

'Recht zo die gaat, stuur.'

'Aay, aay, Odjiesis.'

'Op naar de onderwereld. Ik wil weer eens een babbeltje maken met mijn gestorven krijgsmakkers. Roeien, maat.'

'Aay, aay.'

Odjiesis en zijn metgezellen roeiden wat ze konden over de oceaan, de ringzee die de mensenwereld van de dodenwereld scheidde. Geesten en goden doken op in de dichte mist, grijnsden de held aan en verdwenen weer in het duister. De koers was onduidelijk, de gevaren groot, en de ene na de andere schepeling legde van angst het loodje. Maar Odjiesis en zijn dappere stuurman hielden vol, totdat er een schreeuw uit het kraaiennest klonk: 'Rotsen voor de boeg! Bijdraaien naar bakboord!' en de kiel van het schip tegen de rotsachtige oever botste.

'En nu?' vroeg de stuur. 'Het is hier griezelig stil.'

'Doden zijn stil,' zei Odjiesis.

'Wat doen we hier eigenlijk?'

'Ik wil de toekomst weten. Die zal me hier worden voorspeld. Ik ga aan land. Blijf hier op me wachten.'

'Ga niet! Het is te gevaarlijk! Je kunt ze niet vertrouwen, die doden!'

'Mijn krijgsmakkers zijn daar. Zij zullen mij beschermen.'

'Je vijanden zijn daar ook, Odjiesis. Die kerels die jij om zeep geholpen hebt, zullen heus niet staan te juichen als ze je zien. Blijf aan boord. Wat heb je eraan om de toekomst te weten?'

'Ik moet weten of ik mijn lieve vrouw terug zal zien.'

'Die is toch allang getrouwd met een ander. Of op dansles gegaan met een homo. Kom op, Odjiesis, stel je niet aan. Je bent ik weet niet hoelang weggeweest. Het leven van je vrouw heeft heus niet stil gestaan. Die denkt dat je haar allang vergeten bent.'

'Ik heb al die tijd alleen van haar gehouden.'

'Bullshit, Odjiesis. Kijk uit! Een skelet aan bakboord! Trek je voeten in!'

'Stil maar, stuur, ik zit alweer. Je ziet ze niet aankomen in de mist hè, die griezels. Dus jij denkt dat mijn vrouw mij vergeten is?'

'Wilde ze soms dat je wegging?'

'Natuurlijk niet. Maar de plicht riep – en de koning. Ik moest wel gaan, en mijn lieve vrouw stond achter me. Zeur niet aan mijn kop, stuur, ik heb een afspraak in het dodenrijk. Tien jaar heb ik oorlog gevoerd, bijna even lang heb ik rondgezworven over zee. Ik heb haast.'

'Nou opeens! Je vrouw heeft behoorlijk de pest in, hoor, reken daar maar op. Die ontvangt je echt niet met thee en koekjes.'

'Een lekkere fles retsina is ook goed.'

'Wat is dat nou weer?'

'Onze heerlijke Griekse wijn, stuur, ben je die vergeten? Verlang jij niet naar huis?'

'Nee,' zei de stuurman. 'Nou ja, naar huis wel, maar de rest sucks... Pas op! Achter je! Een rottend lijk!'

Odjiesis dook in elkaar.

'Snel!' riep de stuurman. 'Verstop je in het ruim! Roeiers, steek van wal!'

Odjiesis klom razendsnel benedendeks. De roeiers duwden het schip af.

'Ze komen je halen, Odjiesis!,' zei de stuurman, die lijk-bleek geworden was. 'De doden lusten je rauw! Die gaan je echt de weg naar huis niet wijzen. Kijk ze hun benige klau-wen uitsteken! Roeien, maten! Roei voor je leven!'

Nu werd het schip omringd door grijnzende doden. Uit de donkere gaten van hun muilen kwam een stinkende walm. Beenderen rammelden terwijl ze aan boord probeerden te klimmen. De stuurman rukte aan het roer; het zat vast in de rottende lijken. De roeiers trokken wanhopig aan de riemen. Stukje bij beetje raakten ze los van de rotsige wal. De doden huilden. Angstaanjagend klonk hun gejammer in de mist.

'Breng me terug,' klonk Odjiesis' stem gesmoord uit het ruim. 'Ik zal en moet naar huis.'

'Ben je niet bang voor die doden?'

'Ik ben doodsbang voor die doden! Maar ik moet mijn vrouw terugzien, en mijn kind!'

'Heb je een kind, Odjiesis?'

'Zeker heb ik een kind. Een man is geen man als hij geen kinderen heeft. Dat weet je best, stuur.'

'Eéntje maar?'

'Ja. Voor meer was geen tijd. Misschien is hij mij verge-ten.'

De stuurman schudde zijn hoofd.

'Dat denk ik niet. Nou, als het om je kind gaat, Odjiesis... Vooruit. We moeten eraan geloven, maat. Wend de steven, terug naar het dodenrijk. Odjiesis wil naar zijn kind. Maar één ding, Odjiesis. Als je je gezin terugziet, ga dan niet zitten klagen, oké? Dat jij zo zielig bent en zo. Want zij hebben jou erger gemist dan jij hen.'

'Kletspraat,' zei Odjiesis.

'Wil je thuiskomen als een held, of als een zielenpoot?'

'Als je het zó zegt,' zei Odjiesis kleintjes. Hij klom het ruim uit en ging op de voorsteven staan. 'Vooruit maar, stin-kende skeletten! Kom me maar halen dan!'

De doden klommen aan boord en sleurden Odjiesis mee, gierend en joelend, tot ze in de mist verdwenen.

Marjon laat de misthoorn loeien.

'We wachten op je, Odjiesis! Ga niet te ver weg!'

'Ik ben hier hoor.' Toon grijnst naar haar uit de mist. Hij grijpt haar voet en trekt eraan.

'Kom op, het is veel te koud om stil te zitten. Laten we maar weer een stukje lopen.'

'Ze gaan weer naar het pad. Zonder iets te zeggen kiezen ze tegelijk voor rechtsaf. Weg van de weg. Weg van de Porsche.

'Dus Odysseus had ook maar één kind,' zegt Marjon.

'Mm.'

'Omdat hij altijd van huis was.'

'Mm.'

'Net als jij.'

'Begin je weer?' Toon klinkt weer bokkig.

'Doe niet zo! Wat is er nou?!'

'Niks.'

'Waarom doe je dan zo bokkig!'

'Ik doe niet bokkig.'

Marjon zegt niks meer en Toon ook niet. Ze volgen het pad. Het bos is niet groot. Zometeen zijn ze aan het einde. Bij het bejaardentehuis, waar oma in haar stoel zit te zitten. Bij de golfbaan en de begraafplaats, waar niemand is op dit uur van de dag. Marjon rilt. De andere kant van het bos is geen plek om te blijven, behalve voor doden dan.

Dus? Teruglopen? Marjon wil niet dat Toon weggaat. Ze wil hem bij zich houden. En ze heeft nog geen antwoord op haar vragen.

'Toon.'

Toon geeft geen antwoord.

'Wat is er nou?'

Opeens haalt Toon diep adem. Maar hij laat de lucht weer weglopen zonder er woorden van te maken.

'Zeg het dan,' zegt Marjon zacht.

Weer een ballonnetje vol, weer een ballonnetje dat leegloopt. Is hij boos?

'Papa?'

'Nee, laat maar.'

'Nee!' gilt Marjon. 'Ik laat niks! Straks ben je weer vertrokken en dan zie ik je weer ik weet niet hoelang niet! Geef antwoord, eikel!'

'Zo praat je niet tegen je vader.'

'O? En hoe moet ik dat weten? Hoe moet ik weten hoe je met een vader omgaat? Heb ik er dan een soms?'

'Sloot. Oude koe. Niet in roeren. Dat stinkt.'

'Toon, alsjeblieft.'

Toon schopt tegen een kastanje. De kastanje rolt sloom weg; hij is zwaar van het vocht.

'Doe ik echt zielig? Vind je dat?'

Ja, nou en of, denkt Marjon.

'Nee hoor,' zegt ze.

'Je vindt dat ik zielig doe.'

'Nee...' Marjon denkt hard na. 'Je vertelt gewoon hoe het is, denk ik. Hoe het was. Dingen die ik niet weet. Niet echt. Ik weet eigenlijk niks van je.'

'En ik niet van jou.'

'Nee.'

'Zullen we het over jou hebben?'

'Best.'

'Vertel maar dan.'

'Nee, vraag maar. Maar Toon...'

'Wat?'

'Probeer dan niet binnen tien seconden weer over jezelf te beginnen, goed?'

'Zie je wel. Je vindt dat ik zielig doe.'

'Een beetje wel. Maar...'

'Maar wat.'

'Ik vind het ook wel zielig voor je. Dat je echte vader dood was en dat je een stiefvader had en alles. Die jou niet zag staan. Dat is ook best wel zielig. De meeste kinderen van mijn klas hebben stiefvaders, en die zijn helemaal niet zielig, maar misschien was het vroeger anders. Jullie waren er nog niet aan gewend, denk ik.'

'Het gaat helemaal niet om pa.'

'En dat oma alles deed wat opa zei. Maar djiesis, Toon, dat wás vroeger gewoon zo.'

'Ik stel me aan.'

'Nee.'

'Jawel, ik stel me aan. Vind jij.'

'Nee! Je...'

'Wat?'

'Ik denk dat je er niks aan kunt doen,' zegt Marjon.

Dat maakt Toon driftig. Hij raapt een kastanje van de grond en smijt hem keihard tegen een boom. Tenminste, dat is de bedoeling. De kastanje gaat naast. Toon raapt een steen op.

'Hé,' zegt Marjon lief.

Weer zuigt Toon zijn longen vol lucht, en deze keer zegt hij wel iets: 'Weet jij waarom jij geen broertje of zusje hebt? Wil je dat weten? Hè?'

'Hoeft niet,' zegt Marjon. 'Laat maar Toon. Ik bedoelde er niks lulligs mee. Sorry.'

'Niks laat maar,' zegt Toon. 'Weet je nog dat Liesbeth altijd zei dat ik God en de mensen stiekem te slim af was geweest?'

'Ja. Als ik om een zusje zeurde.'

'Ik had het laten doen,' zegt Toon, nog steeds een beetje driftig, 'toen Liesbeth zwanger was. Van jou dus. Ze wist het wel, maar ze ging niet mee naar het ziekenhuis. Zij zat negen maanden lang maar zo'n beetje te glimlachen op die roze wolk van d'r, dus het is niet echt tot haar doorgedrongen. Tot jij een jaar of twee, drie was, toen werd ze opeens kwaad.'

'Je had je laten steriliseren?'

'Dat zeg ik toch.'

'En mama wou nog een kind?'

'Ze wou dat ik de knoop er weer uit liet halen.'

'Djiesis.'

'Ze zei dat het voor jou was, dat jij er recht op had. Maar dat was gelul, ze wou het voor zichzelf. Nog een knuffel erbij. Puur egoïsme. En toen ben ik voor jou op de bres gesprongen. Ik heb geweigerd.'

Toon klinkt alsof hij haar een cadeautje geeft, dus zegt Marjon: 'Dank je wel.'

'Dat meen je, hè?' vraagt Toon blij. Marjon weet niet of ze het meent.

'Ja,' zegt ze.

'Jij zegt dat ík klaag,' zegt Toon. 'Alsof jíj niet de hele tijd zit te klagen. "Je was er nooit en ik heb geen vader en boe-hoehoe wat ben ik zielig." Maar jij hebt toevallig wél altijd een vader gehad. Een die alleen maar aan jou dacht. Die zorgde dat jij je geen koekoeksjong hoefde te voelen.'

'Ik ben toch wel van jou?' vraagt Marjon, plotseling ongerust.

Toon begint te lachen. Eerst te hard, gemaakt, maar dan hartelijk.

'Natuurlijk wel, rare sprinkhaan. Kijk jij nooit in de spiegel?'

O ja: haar ogen en haar danstalent en het zuchten en de bokkigheid. Geërfd.

'Natuurlijk ben jij van mij. En ik heb er voor gezorgd dat je mij met niemand hoefde te delen.'

Hij is er trots op. Een normaal mens zou er geen snars van begrijpen, maar hij is er trots op.

Je had het anders eerst wel eens aan mij kunnen vragen!

Maar dat zegt ze niet hardop. Ze wil hem niet weer boos maken. Arme Toon.

'Weet je nog, je eerste dansvoorstelling?'

'Ja,' zegt Marjon braaf. Natuurlijk weet ze dat nog. Ze danste een dwerg, in een blauw jasje, een gele broek en een gele muts. Die muts moest ze vasthouden, anders viel hij af. Daar zijn nog foto's van.

'Je was de derde dwerg. Van de zeven. En wie zat er vooraan en klapte het hardst?'

'Jij,' zegt Marjon. Toon had een roos voor haar meegebracht. Die had vijf weken in een fles op haar kamer gestaan, totdat Liesbeth hem per ongeluk had weggegooid.

Grootmoeders oren

Toon heeft zijn arm om Marjons schouder geslagen.

'Gaaf hè,' zegt hij. 'Dit heb ik nou altijd al eens met jou willen doen. Gewoon in het bos lopen en een beetje kletsen. En kastanjes wegschoppen. Ik dacht altijd: volgende zondag, volgende week. Weet jij waar we zijn?'

'Vlak bij De Vossendel. Zullen we even bij oma langsgaan?'

'Nu nog? Nee, laten we haar maar niet storen.'

'Durf je niet?'

Toon gaat op een bemoste boomstam zitten en wrijft met zijn handschoenen over zijn voorhoofd.

'Je durft niet hè? Na al die tijd.'

'Ma en ik hebben geen ruzie.' Hij schoffelt met zijn voeten over de grond. 'Hier lag vroeger volgens mij... Ja, kijk!' Hij veegt een grote, platte steen schoon. 'Weet je nog dat we hier vroeger een keer worstjes hebben geroosterd? We hadden een vuurtje gemaakt op die steen, stiekem natuurlijk. Weet je nog?'

De anderhalf uur van het vuurtje was ze nog vergeten mee te tellen. Zestienhonderd... en nog wat. Marjon knikt, maar dat ziet Toon niet.

'De dag na mijn verjaardag,' zei ze. 'Op mijn verjaardag moest je spelen.'

'Toen hebben we het samen gevierd, jij en ik. Met worstjes.'

'Worstjes? Sardientjes!'

'Sardientjes dan.'

'Je zei dat een mens geen mens was als hij nog nooit sardientjes had geroosterd. Mama en jij deden het in Portugal, die eerste vakantie. Op het strand. Toen snapte je pas waar het leven over ging. Zei je.'

'Kan wel. Zoek eens wat takjes.'

'Alles is nat,' zegt Marjon. Hoe kan Toon de sardientjes nou vergeten zijn? Ze was er zo trots op, ze heeft er nog tegen Fenna over opgeschept.

Maar ze sprokkelt gehoorzaam wat takjes. Het zou lekker warm zijn, een vuurtje, warm en gezellig, en met die mist ziet de boswachter er niks van.

'Je moet ze schillen,' zegt Toon. 'De takjes. De bast is vochtig, maar daaronder is het hout droog. Heb je dat zakmes nog?'

'Heb jij die Zippo nog?'

Het zijn cadeautjes geweest, het zakmes en de Zippo. De aansteker van Marjon, het mes van Toon.

'Met die twee dingen kunnen we overleven in elk bos ter wereld,' zegt Toon.

'Maar dan moeten we wel samen blijven,' zegt Marjon.

'O ja? Jij hebt anders die Zippo ingepikt.'

Marjon kijkt hem verbaasd aan. Hoe weet hij dat? Ze heeft hem uit de zak van een vuile broek gehaald, voordat Liesbeth die wegdeed. Toon grijnst terug.

'Ik kijk dwars door je heen. Hoe noemde je dat ook weer? Een pikkedief?'

Marjon schilt de takjes en zet ze voorzichtig schuin tegen elkaar aan. Toon houdt er een vlammetje bij. Het hout vat geen vlam.

'Zie je wel,' zegt Marjon.

'Papier. Heb je papier?'

'Mijn agenda.'

'Scheur er wat uit. Een dag die al geweest is.'

Marjon wil 19 oktober uit haar agenda scheuren.

'Zo!' lacht Toon. 'Dat was een pikzwarte bladzij!' Hij houdt haar hand tegen. 'Wat gebeurde er die dag?'

'Heb ik al verteld,' zei Marjon. 'Moet je maar opletten, hoor.' Ze schudt Toons hand af en bladert door naar de dag waarop Yoeri zei – 'Néé hè!' – dat hij geen verkering wilde.

Toon zegt: 'Het helpt toch niks. Je kunt die bladzijden wel verbranden, maar wat er gebeurd is, is gebeurd.'

Stom plan ook, om een fikkie te willen stoken in een kletsnat bos.

Marjon gaat naast Toon op de boomstam zitten en staart

naar het hoopje takjes alsof het een vrolijk kampvuur is. Toon houdt zijn handen erboven.

'Gezellig hè, zo'n vuurtje.'

'Ach jij,' zegt Marjon. Ze heeft geen zin meer om te doen alsof. Ze heeft opeens de pest in. Ze weet niet waarom.

'Wat is er nou?' vraagt Toon. 'We zitten hier toch gezellig?'

'O ja, heel gezellig. Altijd al eens in een zeiknat bos op een boomstam willen zitten kijken naar een hoopje dode takken. In de mist. En het donker.'

Toon zucht.

'Af en toe kun jij behoorlijk op je moeder lijken,' zegt hij. Die kon ook nooit eens gewoon lol hebben.' Hij neemt een diepe trek. 'En begin niet weer over die dansles alsjeblieft. Dat weet ik nou wel.'

Marjon heeft niet eens zin om er tegenin te gaan. Wat heeft het voor zin?

Na een hele tijd zegt Toon: 'Gek dat ik het nooit beseft heb.'

Waar heeft hij het over?

'Zelfs niet op die laatste dag, toen we met knallende ruzie uit elkaar gingen.'

O, over Liesbeth.

'Toen ging ik er nog gewoon van uit dat Liesbeth van mij hield. Dat hadden we altijd gedaan, van elkaar houden bedoel ik. Maar het was onzin. Liesbeth houdt helemaal niet van mij.'

Hoe komt hij daarbij?! Maar Marjon zegt niets. Het heeft toch geen zin. Ze staat op zonder haar handen uit haar zakken te halen en volgt het pad verder. Misschien is oma nog wakker. Oma vindt het altijd fijn als er iemand komt, ook al noemt ze haar soms Marja. Of Toontje.

'Marjon!'

Marjon loopt door. Als ze hem negeert, gaat hij vanzelf wel weg. Daar is hij tenslotte goed in.

Hij komt achter haar aan rennen, ze hoort hem hijgen. Ze springt over de greppel langs het pad en breekt door struiken heen. Dan laat ze zich op de grond vallen. Met haar ellebogen werkt ze zich in een goede positie. Ze kan Toon niet zien, maar ze hoort hem voorbijlopen.

'Waar zit je nou?'

Het is te laat, denkt Marjon. Had je maar eerder moeten komen. Ze drukt haar handen tegen haar oren, want ze wil niet horen hoe hij haar roept. En dat ze dan niet komt.

Zou oma echt nooit naar een toneelstuk zijn gaan kijken waar hij in stond? Ze knijpt haar ogen dicht. Ze denkt dat ze takken hoort breken. Ze perst haar handen nog vaster tegen haar oren.

Zou mama echt niet van hem gehouden hebben?

Wel waar, natuurlijk wel! Liesbeth wil alleen maar niet huilen als het toch niet helpt. Ja. Af en toe kan Marjon behoorlijk op haar moeder lijken.

'Lafbek!' Toon brult dwars door haar handen heen. 'Wegloper!'

Marjon haalt haar handen weg, doet haar ogen open, kijkt op. Toon torent boven haar uit, een zwart silhouet tegen de mist. Er kriebelt iets op haar scheenbeen. Ze schuift haar broek en haar dansbroek omhoog en veegt een torretje weg. Haar kuit ziet er spookachtig wit uit.

'Ik loop niet weg,' zegt ze.

'Af en toe kun jij behoorlijk op je vader lijken,' zegt Toon.

'Ik deed gewoon even verstoppertje.' Dat klinkt kinderachtig.

Toon ploft naast haar in de kuil en trekt haar wang tegen zijn koude jas.

'O Mon,' zegt hij. 'We zijn me ook een stelletje stumpers bij elkaar.'

Marjon begint te huilen. Niet te snikken; er lopen alleen tranen uit haar ogen en water uit haar neus. Toon schudt haar zachtjes heen en weer, een hele tijd. Ze wil het niet, maar het huilen gaat ervan over.

'Toch af en toe even een huilebalkje hè,' zegt Toon.

Marjon haalt haar neus op.

'Nee hoor. Alleen als ik jou zie,' zegt ze. Daar moeten ze gelukkig allebei om lachen. Toon schudt haar nog steeds. Maar Marjon kan weer praten.

'Mama houdt wél van je,' zegt ze.

Het schudden houdt op.

'Nietwaar. Ik heb bewijzen. En gelijk had ze, trouwens. Ik verdiende het ook helemaal niet.'

Marjon veegt met haar mouw langs haar neus. Ze gaat rechtop zitten.

'Je hebt helemaal geen bewijzen! Je kunt geen bewijzen hebben voor iets wat niet zo is! Je zoekt alleen een smoes! Een slappe kutsmoes omdat je je schaamt! Omdat je met ruzie het huis uit bent gelopen.'

'Je hoeft niet zo te schreeuwen.'

'Ik probeer alleen maar tot die botte kop van je door te dringen!' Die woorden heeft ze niet van zichzelf. Het is iets wat Liesbeth altijd zei.

'Wat voor soort dingen doe jij met Fenna?' vraagt Toon opeens.

'Met Fenna? Wat heeft dat er nou mee te maken?'

'Nou?'

'Gewoon. Huiswerk maken – zogenaamd. Hartjes teke- nen in elkaars agenda. Bh's kopen, eerst een voor haar en een paar weken later een voor mij. Computeren. Elkaars haren knippen. En we zijn naar een popconcert geweest. Wat heeft dat er nou mee te maken?'

'Hebben jullie nooit ruzie?'

'Soms. Fenna vindt het stom als ik wil oefenen. Ze houdt niet van dansen, omdat ze het niet goed kan, denk ik. En ik vind het stom dat ze altijd maar van die meidenstrips leest. En een tijdje geleden had ik per ongeluk een hap uit haar pony geknipt. Hoezo?'

'Maar je houdt tóch van haar?'

'Natuurlijk niet! Ik ben niet lesbisch.'

'Doe niet zo bekrompen. Ik bedoel: als vriendin. Gewoon.'

'O. Ja, dat zal wel.'

'Dus ruzie is geen bewijs. Je kunt best van elkaar houden en ruzie maken tegelijk.'

'Ja, dus? Kunnen we verder gaan? Er kruipen torren in mijn broek.' Marjon staat op en schudt haar broekspijpen uit.

'Maar dat je al die dingen met elkaar doet, dat wil ook niet per se zeggen dat je wél van elkaar houdt.'

Marjon begrijpt eindelijk waar hij heen wil. Het gaat helemaal niet over Fenna en Marjon, het gaat over Liesbeth en Toon.

'Het gaat erom,' zegt Toon, 'dat je bereid bent iets voor elkaar op te geven. Heb jij je dansoefeningen wel eens overgeslagen om Fenna een plezier te doen?'

'Zo vaak,' zegt Marjon. 'Niet dat ze het waardeerde.'

'Maar het opgeven, daar gaat het dus om,' zegt Toon. Hij slaat zijn kleren af en loopt terug naar het pad. Discussie gesloten?

Nee, want als ze verder lopen vertelt hij het: dat er een ouderavond was op Marjons school, en dat Liesbeth daarheen wilde, op de avond van Toons première. De première van het stuk dat naar Broadway zou gaan. Op de avond dat de Amerikaanse producent zou komen kijken. Naar het stuk waar Toon de hoofdrol in speelde. De allerbelangrijkste première van zijn leven.

'En Liesbeth was er niet,' zegt Toon.

'Heb je door het gaatje in het doek geloerd?' vraagt Marjon.

Toon geeft niet meteen antwoord.

'Nou?'

'Kinderachtig hè? Twee plaatsen op de derde rij, een beetje links van het midden.'

Marjon bijt op haar bovenlip. Dan zegt ze het toch: 'Het ging erover dat ik spijbelde.'

Maar Toon hoort het niet. Hij gaat het pad af en gaat op de bank van een picknicktafel zitten.

'Liesbeth hield niet van me,' zegt hij. 'Ik dacht van wel, maar het was niet zo.' Hij begint te huilen. Niet met snikken, alleen met tranen.

Hoe kun je iemand slaan die zit te huilen? Marjon kan het niet.

'Ik zat hele dagen bij oma,' zegt Marjon.

Het dringt niet tot Toon door. Hij draait zijn rug naar haar toe.

'Niet huilen, Toon. Daar kan ik niet tegen. Hou nou op.'

Toons rug gaat op slot.

'Toon?' Marjon slikt. 'Papa?'

Niets.

'Natuurlijk hield mama van je. Nog steeds.'

Haalde hij nou alleen maar even zijn schouders op.

'Af en toe kun jij behoorlijk op je moeder lijken,' zegt Marjon venijnig. 'Die hoort ook alleen maar wat ze wil horen.'

'Vuil kreng!' zegt Toon. Hij lacht, maar hij huilt ook nog. Dat is griezelig. Als het lachen wint van het huilen, als hij haar weer aankijkt, dan is het goed.

'Grootmoeder, wat heb je rare oren!' zegt Marjon.

'Oké,' zegt Toon. Hij haalt zijn neus op. 'Ik was de grootmoeder.' Hij keert zich om. Hij veegt over zijn wangen en langs zijn neus. 'Sorry, grootmoeder is verkouden. Wat kom jij hier doen Roodkapje? Hoor jij niet op school te zitten?'

Hij trekt zijn jas uit, gaat languit op de picknicktafel liggen, en trekt de jas op tot zijn oren. Hij durft haar nog niet aan te kijken, maar hij praat tenminste weer.

Roodkapje zette de mand met de warme koekjes, de verse boter, de eieren en de tijmstroop neer en ging gezellig op de rand van oma's bed zitten.

'Omdat je ziek bent, Grootmoeder,' zei ze. 'Zieke omatjes horen niet helemaal alleen in bed te liggen midden in het bos. De boze wolf zou kunnen komen. Weet je dat ik de boze wolf ben tegengekomen? Hij had zijn broek op zijn knieën hangen.'

'Wat een viezerik,' zei Grootmoeder. 'Alle wolven zijn viezeriken, weet je dat al?'

'Dat zeggen ze,' zei Roodkapje. 'Maar wolven zijn altijd nog beter dan mensen.'

''t Is mistig vandaag,' zei Grootmoeder. 'Ik heb het ervan op mijn borst gekregen. Uche, uche. Geef me gauw wat van die tijmstroop, anders blijf ik erin.'

Roodkapje deed tijmstroop op een lepel en stak die in Grootmoeders mond.

'Uw mond lijkt wel groter geworden.'

'Dat komt doordat mijn amandelen zijn opgezwollen.'

'En uw neus, Grootmoeder! Het lijkt wel een pootaard-appel.'

'Dat komt doordat ie vol snot zit. Wie ben jij eigenlijk, kind? Ik geloof niet dat ik jou ken. Ik geloof dat ik uit bed ben gevallen; mijn herinneringen zijn in de war geraakt.'

'O, ik ben zomaar een kind dat is komen aanlopen.'

'Weet je zeker dat je geen familie van me bent? Je lijkt op mijn zoon.'

'O, dat kan best.'

'Hoor jij niet op school te zitten?'

'School sucks,' zei Roodkapje.

'Wat betekent dat nou weer?' vroeg Grootmoeder. Ze hoestte. 'Ik dacht dat je tegenwoordig de hele dag mocht internetten op school. Lijkt me juist geinig. En jij moet hart-stikke populair zijn.'

'O ja?'

'Zo'n mooi, lief, bijdehand kind als jij. Ik wil best je oma zijn hoor. Weet je dat mijn zoon in een film heeft gespeeld? Mijn kleindochter trouwens ook.'

'Dat is het juist, Grootmoe,' zei Roodkapje.

'Geef me eens zo'n koekje. Doe de hele zak maar. En doe er boter op, dat smeert de keel. Wat zei je, kind?'

'Niks,' zei Roodkapje. 'Die oren van u, Grootmoeder!'

'Ze zitten verstopt.'

'O, vandaar.'

'Wat zeg je kind?'

'Niks. U lijkt op de wolf.'

'De ouderdom heeft me zo harig gemaakt,' zei Grootmoeder. 'Niks aan te doen kind. Later krijg jij ook een baard. Geniet maar van het leven vóór het zover is.'

'Er valt niets te genieten,' zei Roodkapje. 'Ik ben depressief.'

Daar moest Grootmoeder hartelijk om lachen.

'Nou ja,' zei Roodkapje terwijl ze het zoveelste koekje beboterde en in Grootmoeders muil stak. 'Hebt u nog honger?'

'Ik lust wel een koe en een kalf en een heel mens half.' Grootmoeder kneep in Roodkapjes arm. 'Hm, daar zit ook geen grammetje vet op. Krijg jij niet genoeg te eten thuis?'

'Ik dans het er weer af,' zei Roodkapje.

'Een danseresje, hè! Oei, die zijn me te pezig.'

'Bof ik even,' zei Roodkapje. 'Dus u bent eigenlijk de wolf?'

'Moet ik mijn broek soms laten zakken?'

'Nee, dank u wel,' zei Roodkapje haastig.

'Homo homini lupus,' zei Grootmoeder. 'Zie je, mijn Latijn is nog best. Maar jou kan ik niet thuisbrengen. Ben jij niet dat leuke kind van Entoen Mendersloet? De vermaarde toneelspeler?'

'Nee,' zei Roodkapje. 'Ik ben Roodkapje. Die dochter zit bij mij in de klas. Stomvervelend stuk vreten. Denkt dat ze beter is dan wij, alleen omdat haar vader beroemd is. We gaan een theaterstuk doen op school, maar zij voelde zich er te goed voor. Ze zou de hoofdrol krijgen. En ze weigerde! Weigerde de hoofdrol! Stinkend arrogant, dat kind.'

'O jee,' zei Grootmoeder. 'Dat klinkt niet best.'

'Toen hebben we met z'n allen afgesproken om haar links te laten liggen. Het werkte ook nog. Ze kwam haast nooit meer op school. En ze haalde lekker alleen nog maar klotecijfers.'

'O jee,' zei Grootmoeder. 'Ze had toch wel een vriendinnetje? Henna of zo iets?'

'Fenna. Hád is het goeie woord. Fenna kreeg de hoofdrol

en toen knipte die Marjon een hap uit haar pony, expres, omdat ze jaloers was. En toen wou Fenna haar vriendin niet meer zijn.'

'Gelijk heeft ze, die Fenna.'

'Maar misschien dat het per ongeluk ging,' zei Rood-kapje. 'Die hap uit Fenna's haar.'

'Stuur die Marjon maar eens langs. Mag ze lekker bij mij in bed en dan laat ik mijn broek zakken en dan maken we het gezellig. Valt ze op baarden?'

Marjon heeft de slappe lach. Ze weet heus wel dat er niets te lachen valt, maar ze kan niet meer ophouden. Nee, probeert ze te zeggen, nee, ik val helemaal niet op baarden, maar ze hikt van het lachen, ze snikt van het lachen.

'Hé!' zegt Toon. 'Hé!' Hij springt van de picknicktafel en schudt haar door elkaar. 'Gaat het wel goed daar?'

Marjon heeft geen tijd meer om in te ademen. Ze stikt van het lachen.

Toon geeft haar een klap in haar gezicht.

'Zo.'

Marjon hoeft niet meer te lachen. Hij heeft haar geslagen!

'Je hebt me geslagen!'

'Ja, en? Wou je soms dood?'

'Soms wel,' zegt Marjon. 'Meestal niet. Maar alles is zo klote.'

'Zeg dat wel,' zegt Toon. Hij stopt zijn handen in zijn zakken en ijsbeert in rondjes.

'Je had gelijk, papa,' zegt Marjon. 'Liesbeth had naar jouw première moeten gaan. Zo'n stomme ouderavond. Dat ze die voor liet gaan!'

Toon ijsbeert.

'We hadden allebei naar jouw première moeten gaan.'

Eindelijk kijkt Toon haar aan.

'Dus jij werd gepest?'

'Nee, gepest niet. Ze deden gewoon of ik er niet was. Ze hadden het afgesproken.'

'Godallemachtig,' zegt Toon.

'Het was niet zo erg,' zegt Marjon.

'En daarom ging jij spijbelen? Omdat je doodgezwegen werd. Hoe lang duurde dat wel niet? Weken? Maanden?'

'Zo erg was het nou ook weer niet,' zegt Marjon. 'Later ging het weer over. Nadat... na de herfstvakantie zeg maar.'

'Ik heb er niks van gemerkt.'

Marjon lacht. Dat hij daar verbaasd om is!

'Je had het me moeten vertellen.'

Marjon zou kunnen zeggen: *wanneer dan?* Ze zou kunnen zeggen: *had ik het in die verstopte oren van je moeten toeteren dan?* Ze zou kunnen zeggen: *je had er helemaal niet tegen gekund, Toon Mandersloot.* Maar ze zegt: 'Ja. Ik had het beter kunnen vertellen.'

Toon haalt zijn handen uit zijn zakken en slaat onder het rondjes lopen met zijn ene vuist in de palm van de andere hand. Pok, pok, pok, rust. Pok, pok, pok, rust. Een salsaritme. Marjons voeten schuifelen.

'Verrek,' zegt Toon. 'Daar heb ik niet bij stilgestaan. Liesbeth is mijn moeder niet. Natuurlijk ging ze naar die ouderavond. Liesbeth is jóuw moeder.'

Marjon verlangt opeens naar huis.

Hamlap

Ze kunnen het eind van het bos niet zien, maar de kleur van de mist verraadt dat ze er dichterbij komen. Er zit iets oranjes door, van de lantarens aan het weggetje. Ze lopen langzaam door. Bij een splitsing kiest Marjon het linkerpad, het pad naar De Vossendel. Misschien kan ze Toon mee naar binnen lokken. Als ze het vraagt, zegt hij nee. Maar zolang ze niets zegt, loopt hij braaf met haar mee. Zijn gedachten zitten ergens anders.

'Hé Mon.'

'Mm?'

'Waarom weigerde je die rol eigenlijk? In jullie schooltoneelstuk? De hoofdrol nota bene!'

Marjon geeft hem een stomp.

'Daar kun jij niet tegenop, hè, meneer de derde heks!'

'Twééde heks! Waarom deed je dat?'

'Het leek me niet zo handig om ja te zeggen,' zegt Marjon. 'Want... ze vroegen me natuurlijk omdat jij mijn vader bent. Omdat ik had meegedaan in die film van jou. Maar dit is een gewoon stuk, er wordt niet eens in gedanst. En Fenna kan veel beter acteren. Het leek me gewoon handiger om niet mee te doen.'

Toon lacht.

'En toen vonden ze dat je sterallures had.'

'Ja.'

'Logisch. Na die glanzende filmrol kijk jij natuurlijk neer op zo'n lullige schoolproductie.' Hij kijkt nu precies als de harteloze prins.

'Het is niet leuk!'

'O jee. En juist toen je zo diep in de shit zat, stuurde ik jou een limousine op je dak.'

'Ja.'

'Fijne timing.'

'Ja.'

'Met al die camera's bij de ingang van de schouwburg.'

'Ja.'

'Sorry,' zegt Toon. 'Ik had geen idee.'

Eigenlijk is Marjon degene die sorry zou moeten zeggen. Maar dat lukt haar niet.

'Je had het waarschijnlijk goed bedoeld.'

'Waarschijnlijk?' Ze kan horen waar zijn wenkbrauwen zitten.

'Sorry,' zegt Marjon.

'Oké.'

Dat gaat te makkelijk. Marjon weet niet wat ze verwacht, maar in ieder geval meer.

'Het kostte nog behoorlijk wat moeite om hem te krijgen,' zegt Toon. 'Zo op het nippertje. Anders zou je gewoon met Liesbeth zijn gekomen natuurlijk. Maar ik was dus met een hete kop het huis uitgerend en ik wist zo gauw niet hoe ik het goed moest maken. Dus heb ik vanuit de kleedkamer zitten bellen, de anderen werden er gek van.'

'Maar waarom zo'n enorm ding? Er konden wel twaalf mensen in!' Marjon moet haar best doen om niet opnieuw boos te worden.

'Ze hadden nergens een kleinere. Het was deze of niks. Een witte, voor twaalf personen, met bar en televisie en air-conditioning. Eigenlijk best grappig, toch?'

Hij zegt het zo smekend dat Marjon lacht. Niet grappig, zielig is het. Een limousine sturen voor je dochter van dertien. Die toch al uitgekotst wordt in de klas.

'En hij was toch niet voor jou alleen. Ik dacht dat Liesbeth wel zou lachen als ze dat ding zag. Gevoel voor humor heeft ze wel.'

'Ze was al weg. Op de fiets.'

'Liesbeth is ook geen limousinemens hè. Liesbeth is meer een fietsmens,' zegt Toon.

'Een fietsmens en een Porsche-mens. En als je die kruist...'

'Komt er een spring-en-dans-mens uit.'

'Als je maar niet denkt dat ik beroemd ga worden,' zegt Marjon.

'Waarom niet?' vraagt Toon verbaasd. Zó verbaasd, dat het ook bijna weer zielig is.

Toon ziet haar gezicht. Hij trekt een grimas.

'Kijk niet zo... niet zo...'

'Niet zo hoe?'

'Zo vrouw-achtig. Gatverdamme.' Hij schudt zijn hoofd snel heen en weer, met losse lippen. Als hij een hond was, zou er spuug van zijn lippen spatten. 'Bwrwrwrwr.' Hij schurkt met zijn schouders in zijn jas, alsof hij last van rillingen heeft. Allemaal theater. Dat maakt het makkelijker.

'Trouwens wel klasse hoor,' zegt Toon als hij klaar is met zijn aanstellerij. 'Om die chauffeur gewoon weg te sturen. Dat lef moet je ook maar hebben!'

'Ik heb die hele chauffeur niet gesproken,' zei Marjon. 'Ik zag hem alleen uit het raam. Ik heb niet opengedaan. Oma vond me een stommeling. Volgens haar is een limousine fantastisch.'

'O,' zegt Toon teleurgesteld. 'Ik dacht dat je het hem in zijn gezicht gezegd had.'

'Hij stond te bellen op de stoep. Met jou zeker?'

'Stond hij tegen me te liegen dan?'

Marjon probeerde het zich te herinneren. Nee, ze deed alsóf ze probeerde het zich te herinneren. Ze wist het nog precies, seconde voor seconde.

'Ik stond naar die auto te kijken en die chauffeur keek omhoog voor hij aanbelde. En toen deed ik gauw het licht uit. Maar hij had me al gespot. Hij heeft wel zes keer aangebeld.'

Toon schopt tegen een paar bladeren. Er liggen er hier minder; ze houden de paden hier bij voor de rollators van de bejaarden. Het pad is nu ook van asfalt.

'Papa?'

Toon schopt zonder dat er bladeren zijn.

'Het spijt me.'

Toon kijkt met een ruk opzij.

'Wat moet jou nou spijten?'

Marjon grijpt hem bij zijn mouw.

'Ik dacht... ik dacht dat je boos was.'

'Ben ik ook. Razend. Ik kan me wel voor mijn kop slaan.'

'Hè?'

'Wat een ongelooflijke klootzak. Alles naar de klote geholpen, op één avond!' Hij schopt weer in de lucht.

'Je hebt nog nooit zulke spetterende recensies gehad,' zegt Marjon zachtjes. Nooit betere kritieken dan die ene avond die zij gemist heeft.

'Zal best.'

'Ik heb ze zelf gelezen,' zegt Marjon. Ze had alle kranten die ze te pakken had kunnen krijgen doorgespit, plus nog de stukjes die Liesbeth had verzameld, huilend en wel. 'Spectaculaire interpretatie van eeuwenoud stuk krijgt noodlottig slot' en 'Mandersloot magistraal in ultieme rol' en 'Optreden van een weergaloze grootheid'... En dat ene stuk onder de kop 'Mandersloot op drempel van internationale roem' – in het ochtendblad dat al om vijf uur werd rondgebracht.

'Ik moest ervan overgeven,' zegt Marjon. 'Al die vreemde mensen hadden je gezien. Die verslaggevers. Slijmballen.'

'Een zaal vol mensen,' zegt Toon, 'maar ik speelde voor die twee lege stoelen op de derde rij. Misschien dat het daarom wel zo goed ging.' Hij kijkt haar van opzij aan. 'Wat loop je nou te hikken, Mon. Zo erg is het nou ook weer niet, als je het ziet in het grote verband der dingen.'

'Lul maar raak,' zegt Marjon tussen de tranen door.

Toon loopt een tijdje zwijgend door. Hij neemt grote passen, Marjon houdt hem amper bij.

'Ja,' zegt Toon eindelijk. 'Ja. Je hebt gelijk. Het grote verband der dingen heeft er geen sodepatat mee te maken. Het gaat om mij, en om jou, en om Liesbeth. Om ma.'

'Sodepatat?' vraagt Marjon. Ze wil dat Toon doorgaat.

'Dat Liesbeth niet kwam... nou ja. Ik was er wel nijdig om

– pisnijdig. Maar zij en ik konden het weer goed maken. Of scheiden. Maar dat jíj niet was gekomen... Van jou kan ik niet scheiden.'

Een paar uur geleden had Marjon gezegd: dat is je anders aardig gelukt. Een uur geleden zou ze gezegd hebben: moet je weer zielig doen? Nu wil ze alleen maar zeggen: het spijt me het spijt me het spijt me. Ze schraapt haar keel.

'Maar waar ik het meest de klere over in heb...' Toon stokt.

'Wat?' vraagt Marjon. 'Wat?' Ze heeft niet genoeg spuug. Toon schudt zijn hoofd.

'Je weet toch waarom die uitvoering zo bijzonder was, hè. Waarom ze het stuk zelfs op Broadway wilden hebben.'

'Omdat jij de enige speler was, de andere waren poppen.' Meer zegt ze niet; hij wil het zo graag vertellen.

'Ja. Ik was de poppenspeler en de buikspreker, en alles wat er op het toneel gebeurde, was mijn fantasie. Mijn dag-droom. *To be or not to be*... Een Hamlet met maar één acteur; het was sensationeel. Briljant idee, al zeg ik het zelf. Hé, weet je wat? Zal ik een stukje voor je doen? Nu, hier?' Hij staat stil en kijkt haar verwachtingsvol aan.

Nee, wil Marjon gillen, neeneeneeneenee!

Ze knikt. Ze heeft hem al genoeg aangedaan.

'Goed. Poppen hebben we niet, dus... Als ik hier sta' – Toon staat met gestrekte rug, geheven kin – 'ben ik de zoon. En...' Hij verspringt van plek, maakt zijn schouders rond en kijkt angstig naar boven. '.... als ik hier sta, ben ik de moeder. En straks kom jij, jij bent de geest.'

'Ben ik de geest?' vraagt Marjon.

'Probeer er maar doorzichtig uit te zien. Je bent de geest van mijn dode vader. Zijn bed was nog niet koud of mijn moeder kroop al in een ander nest.'

'Ik ken het verhaal, Toon. Ik heb het wel honderd keer aan moeten horen.'

'Nou dan. Wees de geest.'

De koningszoon had eindelijk zijn moeder voor zich alleen. Voor het eerst durfde hij haar de waarheid te zeggen. Hij ging flink tekeer. De koningin, zijn moeder, kromp in elkaar.

'O Hamlet, zeg niets meer. Je laat me een blik slaan in mijn eigen ziel, en ik zie daar zwarte, ingevreten vlekken, die nooit meer weggaan.' Haar ogen waren zwarte gaten in haar bleek gezicht.

'Ja, zei de koningszoon, 'leven in een geil, door zweet en zaad bezoedeld bed waar u, badend in vuil, te kietelen en te kozen ligt boven een varkensstal!'

'O, zeg niets meer.' De stem van de moeder klonk dof. 'Elk woord gaat als een dolkmes door mijn oren. Stop, lieve Hamlet.'

'Een moordenaar en een schurk, een zielenpoot die in het niet zinkt bij uw eerste man, een Hansworst van een koning, een dief die rijksmacht en regering stal, en van de plank het kostbaar diadeem wegnam en in zijn zak stak!'

De koningin bedekte haar ogen.

'O, hou op.'

'Een vorst van oude lappen...' De prins deinsde terug, er scheen iets op hem af te komen. Was het een mistvlaag? Of iets levends? 'Bewaar me, dek me met uw vleugels af, gij engelen! Wat wilt u, goede geest?'

'Ach, hij is gek geworden,' zei de koningin, die de geest niet scheen te zien.

'Hij is niet gek,' zei de geest met fluisterstem. 'Alleen.. Verblind of zo.'

Nu hoorde de koningin de geest, en hij werd langzaam zichtbaar voor haar ogen. En hoe meer ze van hem zag, hoe bleker ze werd. Ze strekte haar handen naar hem uit, maar de geest liet zich niet aanraken.

'Hij denkt alleen maar aan zichzelf,' zei de geest, 'dat hebben mannen wel meer. Ja sorry, hoogheid, maar Hamlet voelt zich in de steek gelaten.'

'Door mij? Zijn moeder? Wat zou ik hem hebben aangedaan?'

'Bent u niet met een andere man in bed gestapt? Dat kan hij u niet vergeven. U deed alsof zijn vader nooit bestaan had. En naar uw lieve zoontje keek u niet meer om. Die arme, arme Hamlet. Kijk wat van hem geworden is.'

'Zo dol als zee en wind.'

'Precies. En op het punt zichzelf van kant te maken.'

'De stommeling.'

'Dat zijn uw woorden, Majesteit. Maar als ik vragen mag: waarom had u zo'n haast? Waarom moest u per se meteen weer trouwen? Was daar misschien een reden voor?'

'Zoals?'

'Als in uw buik bijvoorbeeld iets aan 't groeien was, iets wat een vader nodig had... Alleen te zitten met een kind vindt zelfs een koningin niet fijn.'

'Gemene laster! Geest, ga weg! Je bent niets dan een hersenschim!'

'Ik help u toch alleen! Een volwassen kerel die zijn moeder haat, dat is zó stom! Daar mocht hij toch onderhand wel overheen zijn. En u doet hij alleen maar pijn.'

'Wat weet jij daarvan?' vroeg de koningin.

Nee: 'Wat weet jij daarvan?' vraagt Toon.

'Ja hoor eens, er wordt nogal geroddeld in de hel,' zei de geest. 'Zo'n koekoeksjong – daar houdt vader koekoek toch zijn mond niet over?'

De koningin gaf hem een duw.

'Mijn vader zit niet in de hel!' roept Toon. Of was het Hamlet weer?

De geest haakte hem pootje. Hij smakte in een bladerhoop.

'Hamlap!' smaalde de geest. 'Knakworst! Bal gehakt! Jij bent een prins van niks.' De geest liet zich bovenop Hamlet vallen, zette een knie aan elke kant en wreef zijn gezicht in met vochtige aarde.

'Genade!' smeekt Toon.

'Niks ervan,' zegt Marjon. 'Eerst zeggen dat oma de liefste oma van de wereld is.'

'O, ze kan best de liefste óma zijn.'

'Ze heeft het toch allemaal voor jou gedaan! Sukkel! Blinde kip!'

Toon opent in protest zijn mond. Marjon propt er een hand half vergane eikenbladeren in.

Maar dat laat Toon niet op zich zitten. Zijn lange, dunne vingers (waar Liesbeth zo dol op was) grijpen in haar zij en kietelen ongenadig. Marjon gilt het uit. Een vogel schreeuwt, alsof hij antwoord geeft. Marjon laat zich achterover vallen om aan die graaivingers te ontkomen.

Toon worstelt zich los. Hij pakt haar beet en gooit haar, terwijl hij blaadjes naar alle kanten spuugt, op haar beurt in de bladerhoop. Dan gaat hij door met kietelen.

'Papa!' roept Marjon. Daarna krijgt ze geen adem meer. Toon houdt heel even op, maar net als Marjon zich los wil wringen, begint hij weer. Marjon giert van het lachen en trappelt van ellende. Bladeren vliegen alle kanten op.

'Goedenavond.'

Abrupt houdt Toon op, op slag is Marjon stil. Een oude man schuifelt achter zijn rollator over het pad. Misprijzend kijkt hij naar de bladerkluiten die over het asfalt verspreid liggen. Toon en Marjon, op hun knieën tegenover elkaar, houden zich in. De man kijkt over zijn schouder alsof hij niet kan geloven wat hij net gezien heeft. Ze houden zich nog langer in. Ze houden zich in tot de man achter een bocht verdwijnt. Dan proesten ze het uit.

'Hij heeft je vast herkend,' giechelt Marjon als ze een beetje bijgekomen is. 'Dat is een fijne roddel voor morgen bij de koffie.' Ze ziet het voor zich, die dove heertjes en dametjes die elkaar het nieuwtje in de oren gillen: '"Die Antoon Mandersloot, je weet wel, die acteur? Die probeerde in het bos een meisje te verkrachten. Gelukkig kon ik er een stokje voor steken." Dat gaat meneer Rollator zeggen, vast. En dan zegt zo'n oud wijffie: "Dan is hij zeker ook die engerd die in het bos rondsprookt, die om de haverklap met zijn blote totempaal in je gezicht staat te zwaaien."'

'Denk je?' Toons gezicht staat stijf van schrik.

Weer schatert Marjon.

'Natuurlijk niet, oen. Trouwens, dan geeft oma ze er wel van langs. Ze wil geen kwaad woord van je horen.'

Toon kijkt verlegen. Marjon weet niet wat ze ziet.

En dan, opeens, begrijpt ze het. Alles. Waarom de kleine Toon thuis moest blijven voor de duiven. Waarom oma niet bij de dansuitvoering van Marja weg durfde te blijven. Waarom oma er altijd bang heeft uitgezien. Tot de dag na de begrafenis.

Ze grijpt Toons hand.

'Het was om jou!' roept ze. 'Snap je het niet? Oma was bang dat opa jou zou haten. Dat opa Joop jaloers op je zou zijn. Daarom durfde ze jou niet voor te trekken.'

'Leuk sprookje,' zegt Toon. 'Loopt ook goed af, zeker.'

'Nee, Toon, denk nou even na. Het is toch logisch? Want stel dat oma jou gelijk gaf, of iets lekkers, of als ze naar jouw toneelstuk was gegaan in plaats van naar Marja... Dan zou opa toch denken dat jij haar liefste kind was?'

'Jij kijkt te veel soaps jij,' zegt Toon narrig. Hij ziet er raar uit, op zijn knieën in de halfrotte bladeren.

'Nee, luister nou. En dan zou opa denken dat ze nog steeds van je vader – Nathan – hield.'

'*Goede tijden, slechte tijden*,' zegt Toon. 'Slechtste serie ooit.'

'Maar het klopt,' zegt Marjon. Ze krijgt een lamlendig gevoel in haar vingertoppen en haar knieën. Als hij haar nú niet gelooft... Ze krijgt geen tweede kans, dat voelt ze.

Dáárom noemt oma haar Toontje, dáárom praat oma zoveel over hem!

Marjon heeft geen puf meer hem te overtuigen. Hij gelooft toch wat hij wil geloven. En het is sowieso te laat. Voor oma was het gisteren tien jaar geleden en tien minuten geleden gisteren.

'Wat zeg je?' vraagt Toon.

'Niks, laat maar, papa.'

Toon rammelt haar door elkaar.

'Nee! Wat zei je?'

'Oma houdt het meest van jou,' zegt Marjon dan toch maar. 'Snap dat dan.'

Toon trekt haar tegen zich aan. Marjon voelt zijn adem beverig in haar haar. Ze zit er onhandig bij, voorover op haar knieën, haar nek geknakt, maar ze blijft zo zitten tot hij niet meer huilt.

De geest uit de fles

Ze staan op het weggetje voor het bejaardentehuis, buiten de cirkel van de buitenlamp. Marjon ziet verbaasd dat achter bijna alle ramen licht brandt. Ze heeft gedacht dat het al heel laat was. Maar het is nog geen half negen. Liesbeth zit nu bij het journaal en vraagt zich af waar ze blijft. Maar ze is nog niet ongerust.

'Welk raam is het?' vraagt Toon.

'Derde van links, derde van boven.' Marjon telt de ramen. Bij oma brandt ook nog licht. Kijkt ze televisie? Of praat ze met iemand die allang dood is?

'Je hoeft me niet te geloven,' zegt Marjon, 'maar oma mist je ook.'

Toon blijft naar het raam staren. Na een hele tijd vraagt hij: 'Wie heeft het je eigenlijk verteld? Liesbeth? Dezelfde avond nog?'

'Mama haalde me uit bed. Ze zei dat je nog niet thuis was, dat je nooit meer thuis zou komen, en toen...'

'Ik snap het,' zegt Toon.

'Toen heb ik haar geslagen.'

'Je hebt Liesbeth geslagen?'

'Ik kon er niets aan doen.'

Het is even stil.

Dan zegt Toon: 'Ik heb ma ook een keer geslagen. Ik weet hoe het voelt.'

'Heb jij oma geslagen?'

'Toen ik zeventien was.'

Marjon probeert het zich voor te stellen: een jonge, sterke Toon die zijn niet zo sterke moeder een klap geeft.

'Ik had auditie gedaan voor de toneelschool, in het geniep. En ik was aangenomen. Wat een hele eer was toen; ze waren kieskeurig. Ik was zo trots als een aap. Maar je opa zei meteen dat daar niks van in kwam. Dat ik een vak moest leren. En ma... nou, die zei niks. Gewoon niks. Ze wist dat mijn hele leven ervan afhing, maar ze ging niet tegen pa in. Toen ben ik een tas in gaan pakken. Ik kwam beneden en daar stond ze. In de gang. Ze keek naar de tas. Ik bleef staan, ik hoopte... weet ik veel wat ik hoopte. Toen zei ze: "Doe het niet, Toon. Luister naar hem. Hij heeft het beste met je voor." En toen gaf ik haar die klap.'

'Dat heeft ze me verteld,' fluistert Marjon. 'Maar ik dacht... Ze wist al niet meer zo goed wat ze zei. Ik dacht dat het bij haar gekte hoorde.'

'Dementie,' zegt Toon. 'Het heet dementie en ze kan er niks aan doen.'

'En toen?' vraagt Marjon.

'Toen ben ik weggelopen. Naar Amsterdam gelift, de eerste nacht in een soort jeugdhotel geslapen.'

'En nooit meer teruggekomen.'

'Jawel. Toen ik succes begon te krijgen. Ik stopte voor de deur en zat naar het raam te kijken, net als wij nu. En toen viel Liesbeth tegen mijn portier.'

'Ben je niet naar binnen gegaan?'

'Ik heb aangebeld. Ma deed open. Ze zei eerst: "Toon". Ik kon niet horen of ze nog boos op me was. Toen zei ze: "Het is nu niet zo'n goed moment. Je vader is uit zijn hum." Ik werd razend. Omdat ze dat zo tuttig zei. En omdat híj – na tien jaar! – vóórging. Ik heb me omgedraaid en ben regelrecht naar de buren gelopen om met Liesbeth af te spreken. Ma stond nog in de deur.' Toon lacht. 'Ik denk dat ze tegen pa gezegd heeft dat het een collecte was.'

'En daarna?'

'Heb ik haar veertien jaar niet gezien dus.'

'Het is idioot om zo lang boos te blijven,' zegt Marjon – ze denkt aan zichzelf.

'Boos? Dacht je dat ik uit wrok was weggebleven? Wat een kind ben je toch nog. Natuurlijk niet.'

'O,' zegt Marjon.

'Ik schaamde me.'

'O,' zegt Marjon. Zelf had ze gewoon meteen 'Sorry'

gezegd tegen Liesbeth. Kon je uit schaamte zo lang weggelopen blijven?

Opeens hoort ze wat hij heeft gezegd.

'Veertien jaar?' vraagt ze.

Toon kucht.

'Nou... Nadat hij bij ons thuis geweest was, is die limousine doorgereden naar De Vossendel.' Hij wijst naar de oprijlaan. 'Die kar zal wel bekijks getrokken hebben. Ik had er niet echt op gerekend dat ma zou komen.'

'Stond je weer door het gordijn te loeren, net als toen je derde heks was?'

'Tweede heks. Vlak voor het doek opging, zag ik haar opeens. Ze zat' – er komt een verbaasde glimlach om zijn mond – 'te glunderen! In die blauwe feestjurk, met haar broche.'

'Dus oma is wél bij jouw première geweest?'

'Jazeker!'

Marjon denkt na. 'Je was een mooie Hamlet, Toontje,' heeft oma laatst tegen haar gezegd. Marjon had gedacht dat oma weer eens in de war was. Dat ze het in de krant had gelezen of op televisie had gezien. Een fragment van het stuk was in het journaal te zien geweest – toen was Marjon naar de keuken gerend met haar handen voor haar ogen.

'Ha! Ik had zulke mooie plannen met die avond,' zegt Toon. 'Negentien oktober, de dag dat alles goed zou komen. Een laaiende ovatie, vrouw en kind trots op hun sukkel van een Toon, een aanbod om naar Amerika te gaan, en zelfs mijn moeder in de zaal. Ik had de geest uit de fles willen spelen, de grote tovenaar. De anderen lachten me uit, ze vonden dat ik zat te patsen. "Onmiddellijk een limousine naar de Rozenstraat, kan me niet schelen wat het kost, en daarna moet hij door naar De Vossendel. Liesbeth Mandersloot, Marjon Mandersloot en mevrouw Janneke Mandersloot. Ik wil ze om acht uur bij de Schouwburg afgeleverd hebben. Natuurlijk de hoofdingang! De familie van de hoofdrolspeler, wat denkt u! En u behandelt ze natuurlijk als prinsessen, mijn meisjes. Daar reken ik op!" Werd ík even keihard op de grond teruggesmakt!'

'Zat ze op de derde rij?'

'Naast die twee lege plaatsen. En later in de foyer achter een pilsje. Ze zat met de toneelmeester te kletsen alsof ze hem al jaren kende. Ik... ik zag haar in de verte zitten en... Ik durfde niet naar haar toe te gaan. Ik ben met een smoesje teruggerend naar de kleedkamer. Vandaar. Ik wist dat ik de grootste lafbek was die er bestond. Zelfs Hamlet was een held vergeleken bij mij.'

Marjon trekt aan zijn arm.

'Kom, we gaan naar binnen. Ze mist je, papa.' Maar dat was eigenlijk niet waar. Met wie ze ook babbelde, vroeg of laat dacht oma dat het Toon was die bij haar zat. En dan lachte ze.

Toon schudde zijn hoofd.

'Het hoeft niet meer. Het is goed zo. Ma heeft mij gezien en ik heb ma gezien. Het was een schok. Een dreun kun je wel zeggen. Maar.... het is goed zo.' Hij kijkt haar aan. 'Waarom huil je nou?'

Marjon schudt haar hoofd. Ze kan het niet zeggen. Dat ze had gedacht dat alles háár schuld was. Omdat zij Toon in de steek had gelaten. Terwijl het niks met haar te maken had. Het ging om haar oma. Dat zijn moeder na veertien jaar opeens in de zaal zat... dáár was Toons hart van op hol geslagen. Met de hele Toon erbij. Marjon zucht bibberig. Het wás haar schuld helemaal niet!

'Wat zeg je nou?'

Ze heeft niets gezegd. Of wel?

'Dus het kwam niet door mij? Papa?'

Toon veegt met zijn duim het snot onder haar neus weg.

'Djiesis Mon! Je bent zo stom als... een hamlap. Een knakworst. Een bal gehakt. Geen wonder dat jij het niet verder schopt dan derde dwerg!'

'Je bent zelf een hamlap,' zegt Marjon, als een kind van vier.

Toon trekt haar mee de weg op.

'Genoeg gejankt hoor. Genoeg gejankt voor...'

'Veertien jaar.'

'Precies. Kom, laten we even naar de begraafplaats lopen. Het is hier vlakbij.'

Marjon aarzelt.

'Wil je niet?'

'Ik weet niet.'

'Je bent toch niet bang?' vraagt Toon.

'Een beetje.'

'Het is maar mist, hoor. Niks engs aan. Kom op, ik ben toch bij je.'

Marjon knikt. Ze pakt zijn hand en doet de eerste stap.

De begraafplaats is inderdaad niet ver. Daar maken de mensen grappen over, over de honderd meter van De Vossendel naar De Vreedhof: dat spaart een lijkwagen uit.

Het hek staat open. Grind knarst onder hun voeten. Gelukkig wordt het geluid gedempt door de mist. Toon weet precies de weg, wat Marjon gek vindt. Bij een graf met een witte steen blijven ze staan, elk aan een kant. Toon bukt om het opschrift te kunnen lezen. Hij doet er lang over. Marjon zegt niets. Ze weet wat er staat.

Toon komt overeind.

'Goeie tekst,' zegt hij. 'Zelf had ik waarschijnlijk iets van Shakespeare gekozen. Maar dit is beter. Jullie hebben het goed gedaan.'

'Ja,' zegt Marjon.

'Bedankt,' zegt Toon.

'Jij bedankt.'

Toon kijkt haar onderzoekend aan.

'Uitgejankt?' vraagt hij.

'Voorlopig wel,' zegt Marjon. Ze lacht om hem te laten zien dat dat weer gaat.

'Mooi. Dan ben ik weg.'

'Niet weggaan,' zegt Marjon.

'Dat moet wel, Mon. Dat weet je best.'

'Maar nu al?'

'Hoeveel uren is het nu?' vraagt Toon. 'Als je vanavond meetelt?'

'Ik weet het niet,' zegt Marjon. 'Ik ben de tel kwijt-geraakt.'

'Gelukkig,' zegt Toon. 'Je bent een toffe meid. Al zeg ik het zelf.'

'Oké dan,' zegt Marjon.

'Nou ben ik echt weg, hoor.'

'Kus?'

'Kus. O, en Mon...'

'Mm?'

'Zeg namens mij tegen die Yoeri dat hij een zakkenwasser is.'

Marjon giechelt.

'O, en pap?'

'Wat nou nog?'

'Je bent geen sukkel hoor.'

'Weet ik,' zegt Toon.

Tussen de nevels is hij snel verdwenen. Marjon legt haar hand op de witte steen. Koud en vochtig, als oma's huid. Ze knielt en leest.

Hier rust
Antoon Mandersloot
mijn liefste zoon,
mijn liefste Toon,
mijn liefste papa

'En nou ben ik weg. Kus.'

Marjon drukt haar wang tegen de steen, precies op het laat-ste woord.

Interview met Lydia Rood

Op bezoek gaan bij Lydia Rood voelt als een schoolreisje. Ze woont in een gestreept houten huisje in Marken – een ouderwets vissersdorpje waar Japanse toeristen je onder de voet lopen. Aan de keukentafel vertelt Lydia waarom ze hier zo graag woont. 'Ik wil op blote voeten kunnen lopen en vuurtjes stoken. Kuilen graven als ik daar zin in heb. Kamperen op het ijs. Dat kan hier allemaal, zo dicht bij Amsterdam!'

Lydia werd in 1957 geboren in Velp en is sinds vijftien jaar fulltime schrijfster. Ze heeft meer dan zestig titels op haar naam staan: jeugdboeken, toneelstukken, thrillers en erotische verhalen. Schrijven vindt ze even vanzelfsprekend als ademhalen. 'Mijn leven speelt zich af in verhalen. Als kind vond ik de wereld rot. Daarom verzon ik verhalen – bij het opstaan, bij het aankleden, bij het naar de bus lopen.' Uit de boekenkast haalt ze een oud boekje, met daarin haar allereerste gedicht, opgetekend door haar vader toen ze vier was. 'Mijn vader las zijn gedichten altijd voor aan mijn moeder. Ik denk dat dát was waar ik ook naar verlangde: dat mijn moeder zei, dat het prachtig was.'

Na haar studie Spaans ging Lydia naar de school voor journalistiek, vastbesloten om journalist te worden. Maar schrijven bleef haar échte droom. Haar eerste jeugdboek, *Een geheim pad naar gisteren* (1982), verscheen terwijl ze nog op school zat. Jarenlang combineerde ze het schrijven van boeken met een baan bij *de Volkskrant*. 'Ik was heel verlegen en heb daar veel geleerd. Bijvoorbeeld dat je, als je iets niet weet, het gewoon aan mensen kunt vragen.'

Lydia schrijft graag over eigenzinnige en ondernemende kinderen. Vaak hebben ze ouders die heel anders zijn dan die van hun klasgenoten. Papaver, uit *Maanzaad* (1989), heeft een nogal wilde moeder: eentje die graag met jongens vecht en altijd jaloers is. Soof, het buurmeisje van Marjan uit *Een mond vol dons* (1993), loopt van huis weg omdat ze het thuis niet uithoudt. 'Het is alsof ze in een potje zit, waarvan het deksel te stevig wordt dichtgeschroefd', zegt Lydia. 'Ik heb zelf een vriendin gehad die op haar zestiende van huis wegliep.'

Reizen zit Lydia in het bloed. Voor *Weg van de zon* (1997) maakte ze een zwerftocht door Californië. Ook reisde ze naar Ghana en Suriname, in het voetspoor van de Afrikaanse slaven. Daarover schreef ze *Anansi's web* (2002). 'Ik vond het oude Afrika terug in het binnenland van Suriname. We hebben daar gelogeerd in een bosnegerdorp, dat was onvergetelijk.'

Lydia schrijft ook mee aan verschillende jeugdseries. Marike, over wie ze vijf delen schreef in de populaire *Vlinders*, ligt haar na aan het hart. 'Ze lijkt op mij: veel broertjes, stoere praatjes, een rare familie. Marike kan zonder blikken of blozen over seks praten en ontzettend goed vechten. Ze zegt weinig, maar áls ze iets zegt is dat dodelijk. Ik was een beetje hetzelfde in de brugklas. Heel erg stil... dat is nu wel anders!'

Boeken van Lydia Rood

Maanzaad

Op haar dertiende verjaardag krijgt Papaver een bijzonder cadeau: een hele dikke brief van haar moeder die al tien jaar dood is. 'Ik heb je een mens cadeau gedaan. Niet zo'n mooi mens, stel je er niks van voor,' schrijft haar mama. Bij het lezen ontdekt Papaver hoe haar moeder moet zijn geweest: een vechtjas, die vaak verliefd was en altijd jaloers. Het is even slikken, zo'n rare moeder. Toch begrijpt Papaver dat ze verschrikkelijk veel van haar dochter hield.

Vlag en Wimpel Griffeljury

Een mond vol dons

Soof en Marjan zijn buurmeisjes en dikke vriendinnen. Soof is een rare. Ze verzint graag griezelige spelletjes en durft alles. Een betere vriendin kan Marjan zich niet wensen. Tot Soof van huis wegloopt. Marjan voelt zich in de steek gelaten en wil het niet begrijpen. Daarom is ze vastbesloten om haar vriendin op te sporen. Pas als ze Soof na een half jaar eindelijk terugvindt, begint het tot haar door te dringen: het wordt nooit meer zoals vroeger.

Zilveren Griffel

Anansi's web

Helmi vindt een stapel brieven, geschreven door een verre voorvader. Natuurlijk laat ze die lezen door Kofi, haar vriend uit Ghana. En ook door Weston, die net is aangekomen uit Suriname. Maar die reageert heel anders dan ze had verwacht…

In dit boek neemt Lydia Rood je mee naar de tijd dat de slavenschepen tussen Ghana en Suriname voeren. Ze weeft een web van verhalen, waarin de sprookjes van de spin Anansi en het verhaal over Kofi's voorouders tot leven komen.

Jenny Smelik IBBY-prijs
Eervolle vermelding Zoenjury

Brief uit Hollanda en *Zoon van de souk*

De tweeling Karim en Karima woont in een Marokkaans dorpje. Hun vader woont ver weg in Nederland, om geld te verdienen voor hun zieke moeder. Toch bepaalt hij op afstand wél wat er moet gebeuren. Karima zou dolgraag naar school willen, maar haar vader vindt dat onzin. Karim, die als jongen veel vrijheid krijgt, gaat juist steeds meer spijbelen. Hij rookt hasj, steelt geld, en raakt steeds verder op het slechte pad.

Lydia Rood schreef deze twee boeken samen met haar man Mohamed Sahli, die haar prachtige verhalen vertelde over zijn jeugd in Marokko.

Marike's vijfde geheim, Marike ?...hahaha, Marike vecht, Marike in paniek, Marieke en de nachtvogel

Marike is een van de vier brugklassers uit de populaire *Vlinder*serie: een 'soap' die zich afspeelt in het verzonnen plaatsje Zuideroog. Marike is een verlegen meisje, dat met haar vader, zijn vriendinnen en haar broers op een boerderij woont. In de brugklas maakt ze van alles mee: ze wordt lastiggevallen door haar gymleraar en doet mee aan het schooltoneelstuk. Én ze wordt hartstochtelijk verliefd op Samir, een knappe Marokkaanse jongen uit de vijfde.

www.vlindersforyou.nl

Sammy of Samir?

Samir voelt zich een buitenbeentje op school. Echte vrienden heeft hij niet. Onder de schuilnaam Sammy Soutendijk schrijft hij gedichten voor de schoolkrant. Of liever gezegd voor Isis, de schoonheid van de school. Helaas ziet alleen Sabah, zijn Turkse klasgenootje, hem staan.

De serie *4ever* is de opvolger van de *Vlinders*. Natuurlijk kom je in dit boek ook Marike weer tegen, als een verlegen brugklassertje dat angstig naar Samir opkijkt.

www.4ever4you.nl

KidsWeek

Dit boek is uitgegeven in samenwerking met *KidsWeek*, een weekkrant voor jonge mensen zoals jij. In *KidsWeek* vind je het laatste nieuws uit Nederland en de rest van de wereld, maar ook veel informatie over sport, muziek, dieren, boeken, televisieprogramma's, computergames, te veel om op te noemen. Kijk op www.kidsweek.nl om een goede indruk te krijgen. Je kunt daar ook een abonnement nemen. *KidsWeek* abonnees krijgen 4 keer per jaar gratis een boek uit de KIDSBIBLIOTHEEK toegestuurd. Misschien dus tot *KidsWeek*!

Vraag een gratis proefexemplaar aan op www.kidsweek.nl/proefexemplaar

De Lemniscaatkrant –
een boekenkrant voor jongeren

Voor kinderen die meer willen lezen over boeken is er *de Lemniscaatkrant*, de enige echte boekenkrant voor jongeren. De krant verschijnt 4 keer per jaar en wordt voor het grootste deel door een jongerenredactie geschreven.

In de krant staan:
- interviews met auteurs & illustratoren (handig voor spreekbeurten!)
- boekrecensies
- puzzels en wedstrijden waarmee je boeken kunt winnen
- verhalen, gedichten en brieven van lezers
- bonnen waarmee je boeken met korting kunt kopen

4 GRATIS BOEKEN BIJ DE LEMNISCAATKRANT
Maar dat is nog niet alles. Als je een abonnement neemt op *de Lemniscaatkrant* ontvang je de boeken die in de KIDSBIBLIOTHEEK verschijnen gratis bij de krant. Voor € 9,50 heb je dus niet alleen een jaarabonnement op *de Lemniscaatkrant*, maar ook nog eens vier mooie boeken (o.a. van Lydia Rood, Harm de Jonge en Lieneke Dijlzeul). Zo ben je voordeliger uit dan wanneer je de boeken los koopt in de winkel (€ 3,95 per stuk).

WELKOMSTGESCHENK
Nieuwe abonnees van *de Lemniscaatkrant* ontvangen een welkomstpakket met daarin het schrijversboek met tips van o.a. Simone van der Vlugt, Anke de Vries en Lieneke Dijkzeul hoe je zélf een verhaal kunt schrijven.

HOE NEEM JE EEN ABONNEMENT?

Het makkelijkste is naar www.lemniscaat.nl te gaan en daar door te klikken naar 'Lemniscaatkrant'. Daar staat precies hoe je een abonnement kunt nemen. Je kunt ook contact opnemen met Lemniscaat en vragen naar een folder met informatie over de krant (info@lemniscaat.nl)

Kijk voor een voorproefje van de krant op
www.lemniscaatkrant.nl